Gabriel J. Zanotti

El método de la Economía Política

Gabriel J.
Zanotti*

El método de la

Economía Política

* Licenciado en Filosofía, UNSTA, Doctor en Filosofía, UCA, Director del
Departamento de Investigaciones de Eseade.

*Ediciones Cooperativas es un emprendimiento
cooperativo de docentes de la Facultad de Ciencias
Económicas de la Universidad de Buenos Aires para
difundir sus trabajos e investigaciones.*

© 2004 Gabriel J. Zanotti
Derechos exclusivos

© 2004 Ediciones Cooperativas
Billinghurst 940, 4° 20 (1174)
Buenos Aires – Argentina
☎ (54 011) 4864 5520 / (15) 4198 5667
    http://www.edcooperativas.com.ar
✉ info@edcooperativas.com.ar

ISBN: 987-1076-58-4

Diseño de Cubierta: Ana Clara Corradi

Impreso y encuadernado por:
Imprenta Grafique, Alvarado 2056, Cap. Fed.
1ª edición, Junio de 2004.

IMPRESO EN ARGENTINA - PRINTED IN ARGENTINE

INDICE DE CONTENIDO

NOTA PARA ESTA PRIMERA EDICIÓN COMO LIBRO EN ESPAÑOL

La versión castellana de este libro es la primera vez que se publica como tal, después de haber sido publicado este año (2004) en la revista <u>Libertas</u>, como artículo. Valen las mismas aclaraciones que hicimos en ese caso y que están explicadas en la "nota para esta edición" que figura a continuación. Lo único que queremos agregar es que la parte III de "Hacia una hermenéutica realista" que entonces estaba en prensa, en este momento es el capítulo 3 del libro "Hacia una hermenéutica realista", en prensa, parte del cual es el desarrollo muy *in extenso* de los temas tocados en el Cap. 4 de este libro, y que ahora dan pleno sentido a las opiniones volcadas aquí.

El autor agradece a las autoridades de Ediciones Cooperativas la oportunidad de esta publicación.

NOTA PARA ESTA EDICIÓN
(LIBERTAS, 2004)

Este ensayo fue escrito como libro en 1993. Fue publicado en portugués, en 1997, en la Universidade Catolica Do Rio Grande Do Sul, con el título Epistemología da Economia. Esta es la versión castellana tal cual fue escrita en el 93.

El libro respondió en su momento a un intento de sistematización de la metodología popperiana-lakatosiana en armonía con la Escuela Austriaca de Economía, sistematizando algunas conclusiones que en ese sentido habíamos sugerido en "Caminos Abiertos" (1989), cuyas partes I y II fueron publicadas en Libertas en 1996-97 (nros. 25 y 26) y en "Machlup: un puente entre Mises y Lakatos" (Libertas 15, 1991). En ese sentido el trabajo debe interpretarse como un intento de dar una solución "lakatosiana" a los debates sobre lo "a priori" y "a posteriori" en la Escuela Austriaca. El énfasis fue, por ende, más metodológico que filosófico (si esa distinción es pertinente). En los capítulos cuatro y cinco, sin embargo, comenzamos un camino que hemos continuado hasta ahora, a saber, la sistematización de una fenomenología de las ciencias sociales que pueda ser fundada en a una hermenéutica realista (que sería la respuesta frente a la advertencia efectuada en la ponencia "La Escuela Austriaca en peligro de implosión hermenéutica" (Libertas, 36). Hemos desarrollado las bases de ese camino en las partes I y II de "Hacia una hermeméutica realista", publicadas en Sapientia, 56-57. La parte III está en prensa. *Si ahora re-escribiéramos el libro, comenzaríamos por este tema, que en su momento fueron sus capítulos finales.* Pero dado que ahora tenemos la oportunidad de publicar su versión castellana, lo hacemos como un intento de colaboración a debates metodológicos que afectan al eje central de la escuela austríaca.

PREFACIO (DE 1993)

El siguiente libro es el resultado de una larga investigación emprendida hace tiempo. Tiene como antecedentes directos a tres escritos anteriores donde se vislumbran sus líneas generales. Me refiero a "Fundamentos filosóficos y epistemológicos de la praxeología" (tesis presentada y aprobada en la UCA en marzo de 1990; publicada en Libertas, Nro. 13, octubre de 1990); al libro Caminos abiertos: un análisis filosófico de la epistemología de la economía (escrito en 1990 para el Dpto. de Investigaciones de Eseade, inédito) y al ensayo "Machlup: un puente entre Mises y Lakatos", escrito en 1990 y publicado en Libertas, N° 15, octubre de 1991. Si bien tendré que referirme a menudo a esos textos, trataré de escribir este de manera autónoma, en la medida de lo posible.

Escribo este libro conciente de que parto con varias desventajas iniciales. En primer lugar, está escrito por un filósofo. Agradezco a quienes piensen que ello constituye, en sí mismo, una ventaja, pero los economistas profesionales difícilmente aceptan opiniones metodológicas que no provengan de un colega.

En segundo lugar, está escrito bajo la influencia filosófica del realismo de Santo Tomás, la perspectiva metodológica para las ciencias sociales de autores tales como Hayek, Popper, Lakatos y Gadamer, y la visión de la economía política de la escuela austriaca de economía, bajo autores tales como Mises, Hayek y Kirzner. Las tres perspectivas son actualmente muy minoritarias en los ambientes universitarios habituales, y muy combatidas por cierto neopositivismo todavía muy vigente como paradigma dominante.

Y, en tercer lugar, está escrito en español. Y lo poco que hoy se hace en epistemología de la economía se escribe en general en inglés y en los EEUU. Luego...

La única ventaja con la que podría contar sería la corrección de mis argumentos, que es lo único que, en última instancia, vale y permanece. Pero no seré yo quien juzgue tal cosa.

Escribo este libro, además, por dos motivos. En primer lugar, me estoy dedicando actualmente a temas de filosofía de las ciencias. Por lo tanto, este libro se encuentra dentro de mis preocupaciones filosóficas actuales. Desde un punto de vista del orden temático en sí mismo, la teoría general del conocimiento es previa a la filosofía de las ciencias; ésta, previa a la filosofía de las ciencias sociales, y ésta, previa a metodología de alguna ciencia social en particular. ¿No debería, por ende, comenzar por lo primero, e ir bajando a lo más particular? No necesariamente, porque muchas veces el pensamiento humano va plasmando lentamente la sistematización de lo general a través del análisis más detenido de los casos particulares. Ese análisis tiene necesariamente implícita una concepción general y universal, concepción cuya maduración final puede quedar para después en cuanto a lo temporal.

Por otra parte, mis concepciones generales sobre gnoseología, epistemología general y epistemología de las ciencias sociales ya han sido más o menos establecidas, no sólo en los tres escritos anteriormente referidos, sino también en el ensayo "Epistemología contemporánea y filosofía cristiana" (monografía predoctoral presentada a la UCA en 1988; publicada en Sapientia en 1991, Vol. XLVI) y en el libro Popper: búsqueda con esperanza; escrito en 1991 (Ed. de Belgrano, Buenos Aires, 1993).

Y, en segundo lugar, me mueve un fin práctico. Los estudios de metodología de la economía ayudarán al desarrollo de la ciencia económica, y esto último ayudará a un planteo correcto de la política económica. Lo cual, a su vez, ayudará a que menos gente sufra las consecuencias de incorrectas políticas económicas, consecuencias que pueden ser dramáticas para la vida de *cada persona* en particular.

Por último, no quiero dejar de destacar el hecho de los numerosos colegas y alumnos que con sus preguntas, críticas y sugerencias me han ayudado enormemente a corregir y perfeccionar mis planteos. A todos ellos, mi más profundo agradecimiento.

INTRODUCCIÓN (1993)

Nuestro libro "Caminos abiertos" estaba organizado según un método más histórico-descriptivo; en éste, en cambio, adoptaremos un método más sistemático. Esto es, plantearemos cómo se organiza, en nuestra opinión, un programa de investigación[1] en economía política. Este planteo sistemático estará dividido en cinco etapas básicas. En la *primera*, diremos qué elementos tomamos de diversos autores. Allí no describiremos la posición de cada autor en su totalidad, sino sólo aquello que nos interesa a efectos de nuestra organización. Primero tomaremos elementos de dos epistemólogos: Popper y Lakatos. Segundo, tomaremos elementos de tres epistemólogos y economistas: Mises, Hayek y Machlup. *En los cinco casos el lector notará que iremos "rodeando" a los aportes metodológocos de estos autores de un metasistema gnoseológico realista. Tercero*, y en función de los aportes tomados, organizaremos sistemáticamente nuestro programa de investigación. *Cuarto*, expondremos sistemáticamente los tres métodos que en nuestra opinión se combinan armónicamente en la metodología de las ciencias sociales, de lo cual tenemos un ejemplo en la etapa anterior. (Como se observa, esta fase es más general). *Quinto*, y en función de lo anterior, trataremos de dar una posible solución al problema de la objetividad de la base empírica en ciencias sociales (problema cuya naturaleza será descripta en su momento). Las dos últimas fases son aclaratorias de aspectos filosóficos implícitos en las anteriores.

En cuanto al desarrollo de los contenidos concretos de teoría económica del programa de investigación que proponemos, digamos que dicha sistematización excede la competencia específica y fines de este trabajo. Los aportes específicamente económicos de Mises, Hayek y Kirzner son concreta-

---

[1] ver Lakatos, Imre, La metodología de los programas de investigación científica; Alianza, Madrid, 1983.

mente el ejemplo, tomando al tratado de economía de Mises como ejemplo tipo. *Nosotros estamos proponiendo una reestructuración metodológica de esos contenidos, y no de los contenidos mismos.* Con ello nos mantenemos estrictamente en nuestro campo sin invadir otros que no son los nuestros. *Por otra parte, la sistematización lo más completa posible de dichos contenidos, actualizados según los últimos problemas de la economía política, es una tarea que urge dentro de la escuela austriaca de economía, la cual no puede quedarse al margen de la profesión, como un paradigma aislado necesariamente alternativo y sin la incorporación de los problemas actuales de la economía.* Esperemos que ese desarrollo y esa actualización sea desarrollada por nuevas generaciones de economistas austriacos (un buen ejemplo de ello es el libro de Esteban Thomsen citado posteriormente). Si nuestra sistematización epistemológica colabora en esa dirección, un objetivo central de este trabajo se habrá alcanzado.

CAPÍTULO UNO: PREMISAS EPISTEMOLÓGICAS BÁSICAS

En este capítulo describiremos los aportes de Popper y Lakatos que en nuestra opinión son relevantes para el desarrollo de nuestro programa de investigación.

1. Popper

De Popper vamos a tomar sobre todo su sistematización lógica del método hipotético-deductivo (MHD), el cual, como sabemos, es aplicado por él tanto a las ciencias naturales como a las sociales.

El hecho de que Popper considere que el MHD se aplica a ambos tipos de ciencias lo ubica en una posición monista metodológica, pero nosotros hemos aclarado[2] que su posición es un monismo metodológico amplio. Con esto queremos decir lo siguiente. En el paradigma neopositivista, el monismo metodológico es rígido: eso significa que la física, considerada como una ciencia que verifica inductivamente y con probabilidad sus hipótesis, es considerada como la más elaborada de las ciencias, y las demás serán ciencias en la medida de su acercamiento a ese modelo ideal de ciencia; luego, según esta concepción, las ciencias sociales serán ciencias en mayor o en menor grado en la medida de su acercamiento a ese ideal. Eso domina gran parte de la metodología de las ciencias sociales hoy en día. En Popper, en cambio, todo es diferente. En *ninguna* ciencia hay verificación, ni inducción ni probabilidad. Por lo tanto, *tampoco* en las ciencias sociales. Estas últimas, *de igual modo que todas las demás ciencias*, parten de conjeturas previas al testeo empírico (contexto de descubrimiento) que luego hay que tratar de falsar, esto es, de contradecir, de

---

[2] Ver nuestro libro Popper, búsqueda con esperanza, Ed. De Belgrano, Buenos Aires, 1993; parte I, punto 6.

negar, por medio de un testeo empírico (contexto de justificación). Las conjeturas tratan de acercarse a la realidad, a la
verdad[3]. Pero, en la medida que son conjeturas, nunca estamos seguros de estar en la verdad. Si la conjetura no es contradicha por el testeo empírico, decimos que está corroborada
hasta el momento. Si es contradicha, tampoco la rechazamos
totalmente, porque el proceso de falsación no es absoluto.

Desde un punto de vista lógico-metodológico, el MHD está
compuesto de la siguiente manera. Tiene dos componentes
básicos: un *explanans* y un *explanandum*[4]. El *explanans* es el
intento de explicación que nuestra mente trata de efectuar de
un determinado problema. Ese *explanans* tiene dos partes básicas, a su vez. La primera es la conjetura explicativa, que
está expresada a un nivel universal. Esa conjetura puede estar
compuesta por muchos elementos; puede ser una conjunción
de teorías diversas. La segunda es una serie de condiciones
iniciales. Esto se refiere a las condiciones concretas y singulares de la experimentación donde se tratará de testear empíricamente la conjetura (esto es, donde se tratará de falsarla).
De ambos elementos del *explanans* se infiere una predicción,
que puede ser proyectiva (hacia el futuro) o retrospectiva
(sobre algo que sucedió). Esa predicción es en sí misma el *explanandum*, esto es, el problema que había que explicar. Para
dar el sencillo ejemplo popperiano, supongamos que un hilo se
rompe. Tal sería el *explanandum*. Ahora elaboremos el *explanans*. Primero, una conjetura, expresada universalmente: "todo hilo sometido a una fuerza de tracción mayor que su resistencia, se rompe". Después, establecemos las condiciones iniciales, de tipo singular. Primera: tenemos este hilo cuya fuerza de resistencia es 50 kg. Segunda: le aplicamos un peso de
60 kg. Entonces efectuamos la predicción: este hilo se rompe-
rá. Antes de efectuar el testeo empírico sabemos que hay un

---

[3] Sobre este punto, ver op. cit, par　　　punto 3, y parte II, punto 3.
[4] Ver Popper, K., Conocimiento obje　　　CO) Tecnos, Madrid, 1974, apéndice.

juicio que puede contradecir al *explanans*: "este hilo no se rompe" (juicio falsador potencial). Si efectuado el testeo empírico, el hilo se rompe, nuestra conjetura está *hasta el momento* corroborada. Si el hilo no se rompe, nos enfrentamos con una falsación. Esa falsación no tiene certeza absoluta: las condiciones iniciales pueden haber estado mal colocadas y/o sólo alguna parte de la conjetura es la que está fallando -no sabemos cuál- en caso de que hubiera sido más compleja que la simple de nuestro ejemplo. (Que es precisamente lo habitual: téngase en cuenta que el ejemplo es ultra-sencillo, pues las ciencias se manejan habitualmente con *explanans* de altísima complejidad)[5].

Para las ciencias sociales, también se aplica este proceso de conjeturas y refutaciones, aunque análogamente. En ciencias naturales podemos a veces controlar alguna variable en algún experimento; en ciencias sociales, en principio, ninguna[6]. En segundo lugar, en ciencias sociales tenemos algunas ventajas en cuanto al contexto de descubrimiento, esto es, en cuanto al origen de la conjetura utilizada[7]. Esto se divide en dos aspectos. En primer lugar, podemos suponer que los sujetos Inter-actuantes, en ciencias sociales, se comportan racionalmente. Esta racionalidad está ligada en Popper a la eficiencia y a un conocimiento óptimo. El es conciente de que la conduca real de las personas tiene otros componentes, pero

---

[5] Con esto queremos decir "con alto contenido empírico", esto es, conjeturas que explican muchos fenómenos y predicen mucho. Sobre esta cuestión, ver Popper, K., Conjeturas y refutaciones (CR); Paidós, Barcelona, 1983; caps. 10 y 11.

[6] Esto hay que reafirmarlo diciendo que es un error suponer que en ciencias naturales hay "control de variables", como si ese control fuera pleno, total. No es así: solo hay un control de un número finito de variables conocidas. Por otra parte, en el caso de las ciencias sociales hemos dicho "en principio", pues podría haber algunos contraejemplos relevantes para nuestra afirmación. Empero, este es un punto que debemos seguir elaborando. Agradecemos a Guido Pincione la advertencia de esos contraejemplos.

[7] Ver Popper, búsqueda con esperanza, op. cit.

eso le permite afirmar justamente que los modelos que se construyan bajo ese supuesto de racionalidad serán conjeturas de aproximación mayor o menor a la verdad. *Veremos más adelante que la concepción de la racionalidad presente en los economistas austriacos tales como Mises, Hayek y Kirzner es distinta.*

El otro aspecto es la incorporación a su método conjetural de una noción utilizada habitualmente para la epistemología de la historia, esto es, la noción de "comprensión". Popper reconoce que en las ciencias sociales podemos suponer cómo actuaría la persona en determinadas circunstancias, dado que, al tener el científico social la misma naturaleza del sujeto observado -el hombre- puede por ende "ponerse en su lugar". Pero insiste en dos cuestiones importantes: primero, la comprensión no proporciona certeza, sino que pertenece al contexto de descubrimiento de determinadas *conjeturas* de comportamiento; y, segundo, de ese modo, las conjeturas así elaboradas están expresadas a un nivel universal, y pueden por tanto dar modelos *generales* de comportamiento. Cabe aclarar que tanto la metodología como la metafísica de Popper lo alejan de cualquier tipo de determinismo en ciencias sociales. Su metodología se lo impide dado que ninguna conjetura se afirma necesariamente, o de lo contrario no es conjetura. Pero este no es el argumento principal: podría haber una incertidumbre metodológica más la suposición metafísica del determinismo. Por eso, el eje central de esta cuestión son los argumentos metafísicos; y, en el caso de Popper, él ha afirmado explícitamente y con insistencia el indeterminismo para el ser humano[8]. O sea que las conjeturas y refutaciones en ciencias sociales no implican afirmar sólo la imprevisibilidad gnoseológica y epistemológica de la conducta humana -esto es, que "no sabemos" con certeza cómo el ser humano se comportará,

---

[8] Especialmente en sus libros El universo abierto (UA); Tecnos, Madrid, 1986, y CO, especialmente caps. 3 y 6.

aunque pudiera ser que su conducta estuviera determinada por factores desconocidos- sino también el indeterminismo ontológico de esa conducta -esto es, la persona es libre en su comportamiento-.

En tercer lugar, el contexto de justificación es más complejo en ciencias sociales, si bien no imposible. ¿Se puede "corroborar" una conjetura en ciencias sociales? Conviene distinguir. Si por "corroborar" se entiende verificar con certeza, y de modo inductivo, Popper afirma que eso es imposible tanto en ciencias naturales como en sociales. Si por corroborar se entiende una verificación *probabilística* de la hipótesis, Popper afirma que tal cosa también es imposible en ciencias naturales y sociales. *Si* por corroborar se entiende una falsación que tenga plena certeza, Popper también ha aclarado que ello es imposible. *Si* por corroborar se entiende una falsación que pueda evitar el problema de la base empírica[9]. Popper ha aclarado con insistencia que ese problema es inevitable. Ahora bien, habiendo despejado estas incorrecciones sobre lo que se pueda entender por "corroboración" podemos contestar que, en un contexto popperiano, la corroboración es algo muy humilde, de igual modo que la falsación. La falsación implica que todo el conjunto de elementos del *explanans* (la conjetura, ya compleja en sí misma, más el conjunto de condiciones iniciales) es contradicho por un juicio falsador potencial una vez realizado un testeo empírico. Eso no implica la negación definitiva del *explanans*, sino, en cambio (esta caracterización es nuestra) la afirmación "aquí-hay-un-problema", esto es, una especie de "luz roja" que se prende ante el camino de nuestra conjetura; una especie de advertencia. La corroboración, sencillamente, es el proceso contrario. Esto es, la luz roja no se prende. *Hasta el momento*, y sin que ello implique ningún juicio sobre el comportamiento futuro de la conjetura[10] la

---

[9] Volveremos a esta cuestión más adelante, que es particularmente compleja en ciencias sociales.

[10] Ver Popper, CO, cap. 1, punto 8.

conjetura no ha sido refutada. Esto es "por-ahora-no-hay-problemas", lo cual no descarta de ningún modo que en el minuto siguiente pueda comenzar a haberlos.

Bien, una vez aclaradas nuevamente la noción de falsación y de corroboración en todas las ciencias, y por ende también en ciencias sociales, vamos a ver de qué modo enfoca Popper este último caso. Para eso establece la relación existente entre teoría e historia[11]. En ciencias sociales, la teoría juega el papel de conjetura explicativa que conecta la parte singular del *explicans* (las condiciones iniciales) con la singularidad del *explananadum* (la predicción prospectiva o retrospectiva). El historiador, dice Popper, está interesado en estos dos aspectos singulares, y usa, sabiéndolo o no, a una conjetura general como conexión entre ambos. La teoría general es en el caso de la historia el medio explicativo *e interpretativo;* incluso, en función de esa teoría se eligen las condiciones iniciales relevantes. En cambio, el científico social está interesado en la teoría general en sí misma, y utiliza a los casos singulares como medios ejemplificadores de su teoría general. El "testeo empírico" es algo, en este caso, sumamente elástico. Si la teoría general resulta inapropiada para el o los casos que intentamos explicar, es evidente que estamos frente a cierta falsación. En caso contrario estaremos frente a cierta corroboración.

No querríamos concluir estas breves indicaciones de los aportes popperianos sin antes realizar algunos comentarios, también breves, que ya hemos efectuado en otra oportunidad.

Primero, consideramos, junto con Popper, que la metafísica puede establecer proposiciones con sentido y, además, que puede ser fuente de conjeturas empíricamente testeables. Pero, además, consideramos que existe un nivel del discurso metafísico que no sólo se acerca a la verdad sino que

---

[11] Ver Popper, K., La miseria del historicismo (MH); Alianza Ed., Madrid, 1973; cap. IV, punto 30.

puede probar deductivamente la verdad de ciertas proposiciones. Eso implica un nivel no-conjetural del conocimiento humano, con certeza, cuestión relevante cuando afirmemos, más adelante, otros niveles, no conjeturales, de las ciencias sociales, tales como el praxeológico y el fenomenológico.

Segundo, querríamos hacer algunas aclaraciones lógico-linguísticas con respecto a las dos fuentes de conjeturas en ciencias sociales, a saber, la comprensión y la suposición de racionalidad en la conducta humana. La primera tiene, en nuestra opinión, el siguiente esquema: "dado un conjunto de circunstancias X, las personas tenderán, en general, a comportarse del modo X1". Allí se da un condicional material de la forma "si p, entonces q", donde "p" es el conjunto de circunstancias y "q" es la conducta que en general las personas realizarán. Debe destacarse que la relación del antecedente al consecuente de la proposición *es contingente*, no sólo por una cuestión lógica (el condicional es material simple), gnoseológica (no sabemos con certeza cómo la gente se comportará en todos los casos) sino también ontológica: la conducta humana es libre y, por ende, el comportamiento ante la misma circunstancia puede ser distinto.

En la suposición de acción racional, en cambio, las cosas cambian en cierto modo. Esta suposición implica la lógica de la acción racional, donde, establecido cierto orden de preferencias, se siguen ciertas elecciones excepto que el orden de preferencias cambie. Por ejemplo, si decimos que un comprador no está dispuesto a comprar a más de 10$, y el vendedor no está dispuesto a vender a menos de 20$, entonces podemos deducir necesariamente que no habrá intercambio, lo cual no es sino un caso de una ley general que afirme que, si el precio máximo de compra de un comprador es igual o mayor que el precio mínimo de venta de un vendedor, entonces habrá intercambio. Allí, la relación entre "p" y "q" es necesaria en el sentido general de que "si las valoraciones son tales, la elección será tal". Lo que es contingente es que las valoraciones sean tales o cuales, porque esas valoraciones son libres. Lo cual implica que el libre albedrío se mantiene en estos casos intacto; *sólo se infieren las consecuencias necesarias de valoraciones libremente establecidas.*

Sintetizando: la relación de antecedente a consecuente es contingente en el caso de la comprensión y necesaria en el caso de la suposición de acción racional, y ambos antecedentes de ambos condicionales son contingentes. Cabe aclarar que, en caso de que el esquema de la lógica de la acción racional se exprese con un condicional material simple ("si tales valoraciones, entonces tales conductas") entonces la necesidad referida de antecedente a consecuente es "de re"[12].

Por último, más adelante explicitaremos que, en ciencias sociales, la relación entre teoría e historia planteada por Popper puede generalizarse haciendo referencia a la aplicación de la conjetura general a una serie de condiciones iniciales dadas. La predicción efectuada será el eje central del testeo empírico referido. Cabe aclarar que la selección de las condiciones iniciales, así también como su interpretación, como también la observación de la predicción, son operaciones también cargadas de teoría. Hemos dicho que un intento de solución a ese problema -que es parte del de la base empírica- será efectuado más adelante.

2. Lakatos

De Lakatos vamos a tomar tres nociones básicas: a) la del núcleo central del programa, no falsable por convención; b) la de las hipótesis ad hoc, falsables; c) la noción de la progresividad o regresividad empírica del programa[13].

---

[12] Sobre tal cuestión, ver Llano, A.: Metafísica y Lenguaje; Eunsa, Pamplona, 1984, cap. IV.

[13] Ver nota 1 y, también nuestro resumen efectuado en "Machlup: un puente entre Mises y Lakatos", op. cit.

En Lakatos, la noción de conjetura popperiana se extiende a lo que podríamos llamar la elaboración de una "macroconjetura". Eso corresponde a lo que Lakatos llama programas de investigación, esto es, no una mera hipótesis aislada, sino un conjunto de teorías sistemáticamente entrelazadas a efectos de la resolución de un determinado problema. Toda la genética contemporánea sería, por ejemplo, un programa de investigación. Para dar ejemplos relevantes para nuestro caso, todo el conjunto de teorías de la escuela austriaca de economía sería un programa de investigación.

Estos programas tienen, según Lakatos, un elemento básico, central, un "núcleo central", que, por decisión del científico, se encuentra protegido de la falsación. Esto es, está exento de falsación por convención. Este núcleo puede incorporar o no diversos elementos metafísicos.

Lo importante de esta concepción lakatosiana es que, al efectuar el desarrollo teórico del núcleo central del sistema, no hay que preocuparse de que en sí mismo sea empíricamente testeable, sino sólo después, en la operatoria global del programa, que ya veremos cómo se realiza. Lo interesante para nuestro caso es que esta noción epistemológica permite el desarrollo de un núcleo central de teoría económica que en sí misma sea "a priori" de la observación y/o testeo empírico. El término "a priori" aquí utilizado no tiene un sentido kantiano, sino sólo una prioridad metodológica respecto a la observación y/o testeo empírico, como dijimos. Los fundamentos filosóficos últimos del núcleo central pueden ser perfectamente realistas, como después veremos.

En segundo lugar, tenemos la noción de hipótesis ad hoc falsables. El lector se preguntará, seguramente, cómo se realiza en Lakatos el contacto con lo empírico, una vez planteada la no falsabilidad convencional del núcleo central. Precisamente, a través de las hipótesis ad hoc. El núcleo central –establecido a un nivel universal– puede nacer en medio de un mar de anomalías, esto es, juicios singulares que refieren a hechos que contradicen a ese núcleo central. Para defender al núcleo central de esas anomalías, el investigador rodea al núcleo central de un cinturón protector de hipótesis *ad hoc*.

Estas son extraídas del mismo fundamento teórico del núcleo central, y explican la anomalía en cuestión. La particularidad de estas hipótesis *ad hoc* es que -siguiendo aquí una prescripción metodológica popperiana- son predictivas de un hecho nuevo, empíricamente testeable. Eso es lo que Lakatos llama progresividad teórica del programa. Si la predicción efectuada resulta corroborada, el programa es *empíricamente* progresivo. De lo contrario, es empíricamente regresivo.

El ejemplo favorito de Lakatos es el sistema newtoniano. Sus leyes gravitatorias constituirían el núcleo central del sistema. Ahora bien, no todos los planetas se movían según lo que estas leyes predecían. Esto implica una serie de anomalías, que refutarían al núcleo central. Para protegerlo, uno de los científicos que trabajaban en el programa de Newton, Halley, establece la hipótesis *ad hoc* sobre un cometa -cuya órbita y movimiento podían establecerse según las elaboraciones teóricas del núcleo central- era el que causaba ciertos desvíos a los planetas. Calcula la trayectoria del supuesto cometa y predice su paso cercano a la tierra para unos 72 años adelante. El cometa, 72 años después, es observado empíricamente. La predicción de la hipótesis *ad hoc* es corroborada y el programa es empíricamente progresivo.

En tercer lugar, la noción de progresividad o regresividad empírica del sistema es interesante a efectos de aclarar lo que es el testeo empírico *global* o *conjunto* del programa de investigación. En efecto, dados estos cánones metodológicos, el núcleo central no puede ser directamente testeado. Hay que esperar a la operatoria conjunta de las hipótesis ad hoc y sus predicciones o no corroboradas. Por otra parte, no hay en Lakatos una prescripción precisa del tiempo necesario para establecer la progresividad o regresividad empírica de un programa. Un programa puede haber sido mucho tiempo empíricamente regresivo y después volverse progresivo, y viceversa. Ante la objeción clásica de que esto convierte al testeo empírico en algo tan elástico que parece casi anárquico, Lakatos responde que lo racional es tener conciencia del riesgo de estar trabajando en un programa de investigación regresivo y que puede seguir siéndolo por un imprevisible lapso de tiempo[14]. A la vez, la misma conciencia de riesgo hay que tener cuando uno trabaja en un programa hasta ahora empíricamente progresivo. *Esto es lo que separa a la actitud de trabajar en "conjeturas y refutaciones" de lo que podría ser la actitud ideológica.*

Hay que distinguir en este punto entre hipótesis *ad hoc* de hipótesis auxiliares, y, entre éstas, hipótesis auxiliares de alto nivel de las de bajo nivel. Las auxiliares a veces pueden tomarse como sinónimo de las *ad hoc*, pero muchas veces no significan exactamente lo mismo. A veces se toma una hipótesis auxiliar como testeable independientemente, y las "ad hoc" como las no testeables independientemente, sino en conjunto con todo el sistema. Popper ha defendido este criterio distintivo[14a]. Pero nosotros utilizaremos esa acepción muy raramente. Más bien, en nuestro trabajo en ciencias sociales las hipótesis auxiliares significan a veces hipótesis adicionales que se colocan entre el núcleo central y alguna conclusión del programa de investigación, a la cual no se podría llegar sin esa hipótesis auxiliar, que no puede ser inferida del núcleo central. Esa hipótesis auxiliar puede ser enunciada a nivel universal, formando parte de un programa de investigación enunciado también a nivel universal, (y en ese caso no puede ser independientemente testeada) o puede ser "de bajo nivel", significando ello que esas hipótesis auxiliares hacen las veces de condiciones iniciales de tipo singular a las cuales se aplica

---

[14] Ver Lakatos, op. cit., cap. 2, p. 152.
[14a] Ver su libro Replies to my Critics (RC), en The Philosophy of Karl Popper, Part II, Library of Living Philosophers, Ed. by Paul Arthur Schilpp Lasalle, Illinois, 1974; II, 8, p. 986.

todo el programa de investigación, haciéndose una predicción también singular.

   Toda esta aclaración que estamos haciendo ahora tiene una importancia capital para nuestra posterior organización del programa de economía política.

CAPÍTULO DOS: PREMISAS BÁSICAS DE EPISTEMOLOGÍA Y DE ECONOMÍA

1. Mises

Del economista austríaco Ludwig von Mises vamos a tomar tres aportes: a) el desarrollo de la praxeología; b) el conjunto de condiciones no-praxeológicas; c) el desarrollo de la economía política.

La praxeología corresponde a lo que generalmente se conoce como la lógica de la acción racional, que, como dijimos, es una de las principales fuentes de elaboración de determinadas teorías en ciencias sociales.

En Mises, la "praxeología" tiene características muy particulares[15]. La praxeología es la ciencia de la conducta humana desde el punto de vista de las implicaciones formales de la descripción de conducta humana. En esa definición, reelaborada por nosotros, está claro el objeto el y método de la praxeología. La descripción de conducta humana utilizada por Mises es "intento deliberado de pasar de un estado menos satisfactorio a otro más satisfactorio"[16]. La conducta racional humana implica, según esto, libre albedrío, y la elección de medios escasos con respecto a una serie prioritaria de fines. Deben hacerse aquí dos aclaraciones importantísimas:

---

[15] Sobre esto, ver nuestro desarrollo más extenso en nuestra tesis "Fundamentos...". op. cit.

[16] En la tesis citada en la nota anterior hemos desmotrado de qué modo la antropología de Santo Tomás de Aquino es la fundamentación más apropiada para esa descripción. Mises, obviamente, no hubiera estado de acuerdo, creemos, con esa fundamentación. Cabe aclarar, además, que si bien de nuestra tesis se desprende que puede haber varias fundamentaciones filosóficas para el axioma central de la praxeología, de ella también se desprende que la de Santo Tomás es la más apropiada.

a) esta caracterización de acción humana racional corresponde a toda conducta humana. Esto es, toda conducta humana implica asignar medios escasos con respecto a fines prioritarios, y eso es lo que se denomina como "carácter *económico* implícito" de toda conducta humana. Lo hace la Madre Teresa de Calcula cuando hace sus obras de caridad y lo hace el operador de bolsa de New York; lo hace Ud. cuando está leyendo este libro y lo hace el santo contemplativo cuando reza en su celda.

Decir que toda conducta humana tiene una fase económica *en cuanto asigna medios escasos a fines prioritarios* NO implica, pues, una visión "economicista y materialista" de la conducta humana, sino al contrario, una visión donde lo "económico" alude a una característica intrínseca a la racionalidad de la conducta humana que no tiene necesariamente que ver con aspectos de riqueza material ni sumas de dinero. *De no entenderse este aspecto, no se entiende nada con respecto a lo que es la praxeología de Mises.*

b) La racionalidad aquí aludida -repetimos: elegir medios escasos con respecto a fines prioritarios- NO implica necesariamente eficiencia con respecto a la relación medios-fines ni tampoco moralidad asegurada con respecto a los fines elegidos. Puede haber error en ambos aspectos, y aún así, la conducta es racional. *"Racional" no implica que se asignan con perfecta eficiencia los medios escasos con referencia a los fines prioritarios, teniendo perfecta y completa información, sino que, en la concepción misiana, implica que se asignan medios a fines, en medio del posible error en cuanto a la asignación y la incertidumbre respecto al conocimiento de los medios y los fines, dada la limitación del conocimiento humano.* Esto es lo que antes habíamos llamado "racionalidad en sentido amplio", que es típica -por no decir exclusiva- del concepto de racionalidad Mises-Hayek, y de toda la escuela austriaca en general.

Para dar un famoso ejemplo misiano, una danza realizada por una tribu que juzguemos "primitiva" pidiendo la lluvia es una conducta racional, pues asigna un medio -la danza- con respecto a un fin -la lluvia-. Que haya error en la relación medio-fin efectuada no quita el carácter de racionalidad de la conducta.

Precisamènte es a partir de esta noción de racionalidad que el problema económico surge y tiene sentido: ¿cómo, *a partir del error y la incertidumbre*, además de la escasez de los medios, puede haber una asignación eficiente de recursos?

(La respuesta queda, obviamente, para más adelante).

Metodológicamente, la praxeología es una ciencia axiomática-deductiva en sentido amplio (esto es, no es un sistema formalizado). Según nuestra reconstrucción, su axioma es la referida descripción de conducta racional, a partir de la cual se infieren lógicamente una serie de conclusiones o teoremas praxeológicos que después tienen una importancia capital para el desarrollo de la economía política (que no es lo mismo que la praxeología). Por ejemplo, la teoría del valor subjetivo de los bienes es uno de esos teoremas praxeológicos básicos. En nuestra tesis citada sobre este tema hemos deducido unos 24 teoremas.

Lógica y linguísticamente, los teoremas praxeológicos tienen *necessitas "de dictio"* en la medida que son inferencias lógicas a partir de su axioma. Este último tiene, sin embargo, en nuestra opinión, *necessitas "de re"*, según hemos intentado demostrar en nuestra tesis (porque su fundamento es -como después aclararemos- la antropología de Santo Tomás). Ahora bien, una conclusión lógicamente inferida a partir de premisas necesariamente verdaderas en sentido metafísico (esto es, la premisa describe una realidad que "no puede no ser" de otro modo, aunque esa necesidad esté derivada de otra) tiene necesidad no sólo lógica, sino también real. Luego, los teoremas praxeológicos son lógica y ontológicamente necesarios. En la tesis referida hemos aclarado, por otra parte, el status gnoseológico de la premisa a partir de la cual se infieren[17].

Una conclusión interesante de todo esto es: la praxeología, concebida como ciencia deductiva a partir de la descripción de acción racional, *no es una ciencia conjetural*. Esto implica que, en nuestra concepción epistemológica global, puede haber ciencias no-conjeturales, ésto es, ciencias fácticas que no se manejen con el método de conjeturas y refutaciones. Más adelante sistematizaremos esta cuestión. Por ahora, queda claro que la praxeología de Mises describe *no* una conjetura, sino lo que la acción racional necesariamente es en sí misma y lo que se infiere a partir de ello. Esto formará parte de esos aspectos no-conjeturales de las ciencias sociales.

Por supuesto, esto implica que consideramos verdaderos a determinados fundamentos filosóficos que nos permitan afirmar de modo no-conjetural lo que la acción racional es en sí misma. Mises trataba de llegar a esa certeza por medio de una filosofía neokantiana, intento a nuestro juicio errado desde el inicio pues lo que el kantismo impide es precisamente conocer con certeza algo de la realidad en sí misma. El fundamento filosófico adecuado es en cambio, a nuestro juicio, el realismo tomista, punto al cual volveremos más adelante.

Pasemos ahora al punto b). Mises desarrolla ciertas condiciones no-praxeológicas como condición para pasar al estudio de la economía política[18]. Son "no-praxeológicas" en el sentido de que no pueden inferirse deductivamente de los teoremas praxeológicos. Se dividen fundamentalmente en dos especies: a) las construcciones imaginarias; b) las condiciones del mundo real.

---

[17] Ver op. cit., parte III, punto 1.

[18] Especialmente en La Acción Humana; Sopec, Madrid, 1968, cap. II, punto 3, y caps. XX y XXXI; y sus libros Epistemological Problems of Economics; New York University Press, New York and London, 1981; y The Ultimate Foundation of Economic Science; Sheed Andrews and McMeel, Inc., 1978.

Las primeras, como ya hemos explicado otras veces[19], son herramientas mentales, que no describen situaciones reales pero que son necesarias para la deducción en economía política. Entre ellas, la economía de uniforme giro, el estado final de reposo y la economía pura de mercado son las más importantes, si bien la última es analógicamente construcción imaginaria.

La economía de giro uniforme supone un estado de cosas en el cual hay acción humana, pero siempre la misma, sin variantes. Esto es necesario para efectuar el *"ceteris paribus"*, esto es, para inferir cuál es el resultado de la variación de sólo una variable suponiendo invariadas las restantes circunstancias. No describe lo que el proceso del mercado es en sí mismo -una variación constante de valoraciones- pero sí es útil para analizar por separado las consecuencias lógicas de la variación de una valuación en la oferta y demanda de determinado bien.

La segunda describe un estado de cosas en el cual las necesidades han sido plenamente satisfechas y ya no hay, por ende, acción en el sentido de que ya no se intenta pasar a una situación más satisfactoria[19b]. Esto sería el estado de perfecto equilibrio. No describe, menos aún que la otra, lo que el proceso de mercado es en sí mismo -precisamente, en el proceso de mercado se parte del error y la incertidumbre de la acción humana, y por ende, de un continuo proceso de ajuste para corregir los errores- pero permite saber a qué situación el mercado *tiende* permanentemente (dadas ciertas condiciones jurídicas), *sin alcanzarla nunca*.

La construcción imaginaria de la economía pura de mercado es analógicamente imaginaria pues lo que describe puede ser real: en efecto, supone un mercado libre e inadulterado,

---

[19] En <u>Caminos Abiertos</u>, op. cit., cap. 1, punto 4.
[19b] Ver La Acción Humana, op. cit., parte I, cap. 1, punto 2, y cuarta parte, cap. XIV, punto 5.

supuestas las condiciones jurídicas para tal cosa. Esto es importante porque, en nuestra opinión, más que una construcción imaginaria, implica la formación de una serie de premisas básicas de filosofía social sobre la sociedad humana previas al pasaje de la praxeología a la economía política.

Sobre las condiciones del mundo real, debemos decir que son aspectos del mundo real que, según Mises, nos dicen por dónde es relevante efectuar la deducción praxeológica. Por ejemplo, estamos en un mundo donde el trabajo produce fatiga; luego, es conveniente aplicar los teoremas praxeológicos al mercado laboral suponiendo tal cosa. O, para dar otro de sus ejemplos favoritos, estamos en un mundo que practica el intercambio indirecto (monetario); luego, es conveniente continuar la deducción praxeológica por allí.

Como vemos, este punto es epistemológicamente crucial, pues de este modo Mises hace un cable a tierra con lo empírico, para que de ese modo -son sus palabras[20]- la praxeología no se convierta en "mera gimnasia mental". Mises insiste denodadamente en que estas condiciones del mundo real *en nada afectan al carácter absolutamente apriorístico de la economía*[21].

Desde luego, este es el punto que se discute: en qué medida se pueden afirmar ciertas condiciones del mundo real sin que alguna o algunas de ellas tengan, de algún modo, cierto carácter conjetural. Es cierto que nosotros hemos dicho que hay algunos aspectos de las ciencias sociales no-conjeturales, pero hemos dicho precisamente algunos, no todos. Nosotros adelantamos nuestra opinión de que este pasaje de la praxeología a la economía política no puede efectuarse sin recurrir a algunas hipótesis auxiliares de tipo conjetural, opinión que

---

[20] En <u>Epistemological Problems</u>, p. 14.
[21] En <u>La acción humana</u>, op. cit., p. 98.

después explicaremos plenamente. Citamos por lo pronto a quienes piensan distinto que nosotros en este punto[22].

Con respecto al punto c), esto es, el desarrollo de la economía política, no es que efectuaremos en este momento ese desarrollo en particular, sino que destacaremos que, para Mises, la economía o ciencia económica es la parte de la praxeología mejor desarrollada hasta el momento, que analiza una parte de la conducta humana, a saber, la que se desarrolla en el mercado en presencia de precios monetarios[23]. En este sentido, según nuestra reconstrucción, la economía política o ciencia económica, o, simplemente, economía, podría definirse como una *ciencia especulativa* que estudia a la acción humana en el mercado desde el punto de vista de las implicaciones formales de la descripción de acción. La expresión subrayada "en el mercado" destaca la restricción del universo del discurso con respecto a la acción humana que se realiza en la economía. Su objeto material es la acción humana en el mercado; su objeto formal, aquellas mismas implicaciones formales de la descripción de acción deducidas en la praxeología. En este sentido, la economía se estructura también deductivamente, a priori del testeo empírico -*nada de extraño, según los cánones Popper-Lakatos*- cuyos axiomas son los teoremas praxeológicos anteriormente referidos y cuyos teoremas o leyes económicas son fruto de la aplicación de esos axiomas[23b] al proceso de mercado. *Pero entre los axiomas praxeológicos y las leyes económicas se encuentran otro tipo de*

---

[22] Ver Cachanosky, J.C.: "La escuela austriaca", en Libertas, Nro. 1, 1984; "La naturaleza apriorística de la ciencia económica", en Liberalismo y Sociedad, Macchi, Buenos Aires, 1984; y Benegas Lynch (h), A.: Metodología de la ciencia económica y su diferencia con el método de las ciencias naturales; Academia Nacional de Ciencias, Buenos Aires, 1987.

[23] Ver La acción humana, op. cit., cap. XIV.

[23b] Un axioma puede ser teorema de otro sistema y viceversa; lo que no puede ser, formalmente, es que un axioma sea axioma y teorema del mismo sistema a la vez. Esto lo hemos desarrollado con más detalle en nuestra tesis "Fundamentos..." (op. cit.), *Introducción*.

premisas, en nuestra opinión: hipótesis auxiliares no-paraxeológicas, algunas de ellas de tipo conjetural.

Ahora vamos a realizar dos consideraciones adicionales, que son también opiniones nuestras, relevantes a nuestro juicio para la elaboración de nuestro programa de investigación. En primer lugar, vamos a considerar que a) + b) + c) constituyen el *núcleo central* de la teoría económica. Esto es, la praxeología, con sus teoremas correspondientes, más el conjunto de las construcciones imaginarias y las condiciones del mundo real, más las leyes económicas deducidas de a) + b), son el núcleo central del sistema, expresado a nivel universal (esto es, sin hacer referencia a lugar y tiempo concreto). "a + b" harían las veces de *explanans* y "c" las veces de *explanandum* o efecto o predicción, donde "b" del *explanans* son un conjunto de hipótesis auxiliares no deducidas de la praxeología. Pero este conjunto no sería totalmente analogable al esquema N-D popperiano por cuanto tanto las hipótesis auxiliares referidas como las leyes económicas referidas están expresadas e nivel universal, esto es, forman la teoría general de la economía política, que es un núcleo central que, ya veremos más adelante, es "aplicable" a un determinado conjunto de condiciones iniciales.

En segundo lugar, vamos a considerar que este núcleo central tiene un sub-núcleo central que es el praxeológico, que es no-falsable NO por convención sino por razones filosóficas. Esto es, la praxeología, como ciencia axiomático-deductiva en sentido amplio, es no-falsable, pero no por una convención epistemológica según los cánones lakatosianos, sino porque su axioma central -la descripción de acción- puede ser fundamentado en el sistema filosófico de Santo Tomás de Aquino, el cual se encuentra en un nivel de certeza metafísica que no requiere ningún testeo empírico posterior en un contexto de justificación. El desarrollo in extenso de esta fundamentación filosófica ha sido efectuado en la tesis ya varias veces citada.

2. Hayek

De Hayek, discípulo de Mises en economía y original epistemólogo y filósofo político, vamos a tomar sobre todo cuatro elementos:
a) su concepción sobre el objeto de estudio de las ciencias sociales;
b) su noción de "orden espontáneo", íntimamente relacionado con lo anterior;
c) su noción del factor "aprendizaje" como postulado "empírico" de la economía;
d) su noción de las *"pattern predictions"*.

Lo primero se refiere a que en las ciencias naturales trabajamos con objetos de estudio sobre los cuales realizamos hipótesis sobre su naturaleza, la cual no depende de las intenciones humanas. En ciencias sociales, al contrario[24], cuando tratamos de dar algún tipo de definición sobre un objeto de estudio, damos una definición que tiene en cuenta el "para qué", o la intención o finalidad del objeto en cuestión, que depende de los pensamientos y valoraciones humanas.

Lo que llamamos "moneda", por ejemplo, desde el punto de vista de las ciencias naturales es un trozo de determinado metal. Pero para la economía, ciencia social, la moneda es un medio de intercambio general. Un medio de intercambio general, a su vez, es un bien que las personas intercambian no para utilizar directamente en actividades de producción o consumo, sino para intercambiar por otros bienes -o servicios- que sí serán utilizados en actividades de producción o consumo[25]. Como se puede observar, la naturaleza del enfoque de estudio cambia. Lo importante allí es el "para qué" los seres

---

[24] Ver Hayek, F.A.von: "Scientism and the Study of Society", en The Counter Revolution of Science; Indianapolis: Liberty Press, 1979).
[25] La definición es de Mises, en La Acción Humana, op. cit., cap. XVII.

humanos utilizan determinados elementos, y no las conjeturas sobre su constitución físico-química.

Esto último está ligado al *individualismo metodológico*. El individualismo metodológico es una característica del método en las ciencias sociales según el cual todos los fenómenos sociales son reducibles en su origen a la acción de determinados individuos. Para el individualismo metodológico no hay agregados o macro-conjuntos sociales que realizan acciones que sólo pueden predicarse de personas individuales. Y esto es, precisamente, por el elemento intencional -propio de sujetos individuales- que existe en los objetos de las ciencias sociales. El individualismo metodológico se opone al "colectivismo metodológico". "Los intereses de la nación exigen que..." sería una típica expresión que corresponde al colectivismo metodológico. Los términos individualismo y colectivismo utilizados en este contexto no se relacionan necesariamente con cuestiones políticas[25b].

El segundo aspecto es el tema del orden espontáneo. Este es prácticamente el eje central del pensamiento de Hayek, diseminado a lo largo de toda su obra. Fue planteado explícitamente ya desde 1936, en el artículo "*Economics and Knowledge*"[26]. Analizando lo que significa el proceso del mercado, Hayek se pregunta bajo qué condiciones es posible que un conjunto de personas, actuando cada una de ellas con "bits" o porciones de conocimiento muy limitados, produzca con su interacción un resultado global tal que, si tuviera que ser planeado deliberadamente por una sola mente, requeriría por parte de ésta un conocimiento que ninguna de las mentes inmersas en el proceso posee. Hayek piensa en este caso en el

---

[25b] Estamos abiertos a cualquier enfoque que supere esta dialéctica entre individualismo y colectivismo metodológicos. Pero, hasta ahora, no lo hemos visto. Las instituciones sociales no son personas.

[26] Ver Individualism and Economic Order; University of Chicago Press, 1948.

proceso de mercado[26a], y obsérvese el importante detalle que ya está suponiendo conocimiento imperfecto en quienes actúan en dicho proceso, contrariamente a los modelos neoclásicos de competencia perfecta[27]. Esta es la cuestión de la racionalidad en sentido amplio de la que hablábamos también en Mises: ¿bajo qué supuestos es posible que personas que pueden errar y tienen incertidumbre sobre las valoraciones de los otros produzcan con su interacción una tendencia al acercamiento de los factores de producción a las necesidades prioritarias de la demanda? En este planteo no se supone perfecto conocimiento por parte de oferentes y demandantes, y, por ende, quien "acuse" a los economistas de la escuela austriaca de estar partiendo de supuestos "irreales" *desconocen lo esencial del planteo misiano-hayekiano.*

Otro aspecto que debemos destacar también en este punto es que Hayek advierte que el orden espontáneo se da no sólo en economía, sino también en los procesos políticos. Pero en este aspecto no nos podemos introducir en este momento[28]. Pero sí debemos destacar dos aspectos. Uno, que el orden espontáneo del mercado requiere un orden legal-positivo indispensable que asegure la libre entrada al mercado; Hayek

---

[26a] Es tesis tradicional de la escuela austriaca que el proceso de mercado, a través de los precios, permite la realización del cálculo económico. Sobre el debate del cálculo económico, ver Lavoie, Don: "Crítica de la interpretación corriente del debate sobre el cálculo económico socialista", en Libertas, y Cecilia Gianella de Vázquez Ger: "El cálculo económico en el socialismo; una visión contemporánea"; en Libertas, Nro. 18.

[27] La actual "economía de la información" podría objetar que el problema de la información escasa es tenida actualmente en cuenta por nuevas reelaboraciones del antiguo modelo de competencia perfecta. Pero esas reelaboraciones no son lo mismo que la teoría del proceso de mercado. Sobre esta cuestión, es indispensable la lectura del libro de Esteban Thomsen, Prices and Knowledge, Routledge, London and New York, 1992. Un adelanto de la tesis central de este libro apareció en su artículo "Precios e información", en Libertas, Nro. 11.

[28] Hemos tratado esa cuestión en nuestro ensayo "Hayek y la filosofía cristiana", en Estudios Públicos, Santiago de Chile, Nro. 50, 1993.

afirma que la formación de ese orden legal es también un orden espontáneo. El otro aspecto es que Hayek advierte que la investigación de diversos órdenes espontáneos es la tarea principal de las ciencias sociales, dado que todo proceso social es, de algún modo, un orden espontáneo. En esto es seguido también por Popper[29] Lo cual, dicho de modo más elástico, implica que la complejidad de los fenómenos sociales, en cuanto a la multiplicidad de variables que entran en juego, fruto del libre albedrío de la persona humana, impide que los tratemos como si fueran máquinas diseñadas deliberadamente por el ser humano. Esto es lo que ha producido las críticas de Hayek y Popper a todo tipo de "constructivismo" o ingeniería social.

El tercer aspecto que vamos a destacar es el "factor aprendizaje" en la economía política. Esta cuestión trata de lo siguiente. Como decíamos, Hayek va analizando las condiciones bajo las cuales el mercado tiende al equilibrio, partiendo de una situación de incertidumbre por parte de sus intervinientes. En el año 45 destacará el papel de los precios en ese proceso, como sintetizadores de información dispersa[30.] A lo largo de toda su obra destacará también la importancia de ciertas condiciones jurídicas que garanticen la libertad de entrada al mercado[31.] Pero, en el artículo del año 35, ya citado, Hayek advierte que la tendencia al equilibrio no podría darse si no fuera por un factor, que podríamos llamar el factor aprendizaje, por el cual ciertas personas tienden a aprender de sus errores en el mercado, y otras no. Este aprendizaje, este proceso permanente de ensayo y error, por el cual ciertos oferentes aciertan en la orientación de los factores de pro-

---

[29] Ver CR, cap. 16.
[30] En su art. "The Use of Knowledge in Society", en Individualism and Economic Order, op. cit.
[31] Es interesante señalar en este punto la coincidencia global con Karol Wojtyla en su enc. Centesimus annus, punto 15 (Ed. L'Osservatore Romano, ed. en lengua española, Nro. 18, 3/5/1991).

ducción a la demanda, y otros yerran, es esencial para la tendencia al equilibrio, pues, dadas las condiciones jurídicas aludidas, el mercado tiende a poner fuera de juego a quienes yerran. Este factor, el "factor empresarial", ya presente en Mises y muy analizado en Kirzner[31b], *tiene en Hayek la peculiaridad de que claramente es colocado como un postulado empírico.* Ahora bien, "empírico" no significa, en Hayek, algo que sea fruto de una inducción. Es un supuesto -una conjetura, diría Popper- que <u>no</u> puede ser deducido de la "lógica pura de la elección", esto es, una lógica de la acción racional, al estilo de la praxeología de Mises. Es, en términos epistemológicos, una hipótesis auxiliar <u>no</u> deducible de la lógica de la acción. En efecto, nada nos permite inferir necesariamente un determinado grado de éxito en el aprendizaje de los errores. En este punto se advierte claramente una diferencia metodológica importante con Mises, en cuanto que ese dato es necesario para la afirmación de la tendencia al equilibrio: *"It is only by this assertion that such a tendency existis that economics ceases to be an exercise in pure logic and becomes an empirical science; and it is to economics as an empirical science that we must now turn"*[32].

Por supuesto, una vez que Hayek ha colocado este supuesto en el contexto de descubrimiento de la teoría económica, queda por ver de qué modo se realiza algún tipo de testeo empírico de un programa así planteado. Ya en su ensayo citado de 1942 había manifestado que los modelos de las ciencias sociales nunca podrían ser verificados, pero sí contener ciertas leyes deductivamente inferidas de los postulados del modelo que pudieran ser desaprobadas por la observación de eventos

---

[31b] Ver, principalmente, <u>Competencia y función empresarial</u>; Unión Editorial, Madrid; "Equilibrium versus Market Process", en <u>The Foundations of Modern Austrian Economics</u>, Institute for Humane Studies, 1976, varios autores; y <u>Discovery</u>, <u>Capitalism, and Distributive Justice</u>; Basil Blackwell, Oxford, 1989, cap. 4.

[32] En "Economics and Knowledge", op. cit., punto 6, pág. 44.

que sean imposibles de acuerdo a la teoría elaborada. Como vemos, esto implicaba ya desde entonces un esquema poppe-riano de falsación de teorías en ciencias sociales[33]. Pero los detalles finales de este tipo de falsación son sistematizados en 1964, en el ensayo "La teoría de los fenómenos complejos"[34]. Allí propone lo que sería el resultado de un orden espontáneo, en ciencias sociales, pero desde el punto de vista del científi-co social. Esto es: un orden espontáneo tiene un resultado global, que implica, epistemológicamente, una predicción global y general, y NO predicciones singulares y específicas. Esa predicción global excluye determinados cursos de acción contradictorios con esa predicción general; esas exclusiones son los "falsadores potenciales" del modelo, en términos pop-perianos. Por eso estas son "predicciones de modelos con in-formación incompleta", esto es, *pattern predictions*[35]. Que

---

[33] Algunos han opinado que Hayek atraviesa por dos períodos epistemológi-cos nítidamente distinguibles. Uno, bajo la influencia de Mises, de tipo apriorista, y otro, bajo la influencia popperiana, más ligado a los problemas del contexto de justificación -por medio de la falsación empírica- de las teorías sociales. Nosotros ya hemos opinado que Hayek es un autor suficien-temente complejo y original como para que se lo trate de encuadrar en Mises o en Popper según períodos distintos. Ocurre en cambio que Hayek pasa de un dualismo metodológico amplio -dado que estaba convencido de que en las ciencias naturales podía haber inducción, cosa que obviamente él niega para las sociales y en particular para la economía- a un monismo me-todológico amplio, precisamente cuando Popper lo convence -poco tiempo después- de que tampoco en las ciencias naturales hay inducción, y que por ende el esquema que Hayek había propuesto para las ciencias sociales es válido para todas las ciencias. Esto ya lo hemos descripto con cierto detalle en Caminos abiertos, op. cit., y también en Popper: búsqueda con esperan-za, op. cit.

[34] "The Theory of Complex Phenomena", en Studies in Philosophy, Politics and Economics; University of Chicago Press, 1967. Versión castellana en Estudios Públicos, Nro. 2, marzo de 1981.

[35] Sobre la importancia de estas "pattern predictions" y el hecho de que la escuela austriaca no les ha prestado suficiente atención, ver Langlois, R.N.: "Knowledge and Racionality in the Austrian School: an Aanalytical Survey", en Eastern Economic Journal, vol. IX, Nro. 4 (octubre-diciembre 1985).

estas predicciones implican la elaboración teórica de un determindo orden espontáneo lo confirma a nuestro juicio esta caracterización de orden espontáneo que encontramos en el libro I de <u>Derecho, Legislación y Libertad</u>: *"...a state of affairs in which a multiplicity of elements of various kinds are so related to each other that we may learn form our acquaintance with some spatial or temporal part of the whole to form correct expectations concerning the rest, or at least expectations which have a good chance of proving correct*[36]. La falsación empírica posible en ese caso es -en los humildes términos popperianos planteados en el punto 1 del cap. 1- la constatación de esos cursos de acción contradictorios con la proposición general que resulta de la afirmación del orden espontáneo. Más adelante veremos de qué modo esta noción se integra a nuestra sistematización metodológica.

Ahora vamos a realizar algunos comentarios con respecto a estos cuatro aspectos planteados. Son comentarios filosóficos, la mayor parte, aunque también de tipo lógico y metodológico.

En nuestro ensayo "Hayek y la filosofía cristiana" (op. cit.) hemos demostrado que el metasistema filosófico global en el cual Hayek realiza sus afirmaciones (metasistema compuesto principalmente por un agnosticismo metafísico, un neokantismo y cierto nominalismo) no está necesariamente relacionado con la teoría del orden espontáneo, que en nuestra opinión es el eje central de sus aportes. Ahora veremos de qué modo

---

[36] En su libro <u>Law, Legislation and Liberty</u>, vol. 1; University of Chicago Press, 1973. Es interesante destacar que Hayek hace aquí una nota en la cual cita a Kant, lo cual corroboraría que en su pensamiento la noción de "orden" es una categoría a priori al estilo kantiano y no un proceso ineherente a la naturaleza de las cosas. *No debe olvidarse que precisamente tal es el giro copernicano que nosotros estamos efectuando: en nuestra concepción realista, un "orden espontáneo" se encuentra en la naturaleza de los procesos sociales.*

estos últimos alcanzan una explicación más plena con un metasistema filosófico realista de tipo tomista.

Con referencia al primer punto, a saber, los objetos de
estudio de las ciencias sociales, comentaremos dos cuestiones
que terminaremos de sistematizar más adelante. Primero,
todo "hecho" social es una determinada <u>inter</u>acción. Esto es,
una determinada relación entre personas. La sociedad misma
es una determinada relación entre personas. Lo que en esto se
pone de manifiesto es el accidente predicamental *relación*. O
sea que toda interacción social es una relación real entre personas según la *finalidad* que todo ser humano tiene al actuar.
Para seguir con el ejemplo anteriormente dado, las personas
entran en relación de cambio indirecto (moneda) según un
determinado "para-qué" (como *finis operis*) que define a esa
misma interacción. A su vez, esta definición efectuada es de
la naturaleza o esencia de la interacción en cuestión, dado
que podemos conocer esa causa final que la define. Esta posibilidad de conocimiento de la esencia es posible en este caso
dado que hay personas de las cuales podemos conocer la finalidad de su conducta, operación que sería imposible en el caso
de un objeto no-humano de estudio, como en las ciencias naturales.

Lógica y lingüísticamente, estas relaciones reales se de-
signan con términos universales que significan el accidente
real predicamental en sí mismo considerado. "Moneda", "precio", "tasa de interés", "bien de capital", etc., son ejemplos.
"En sí mismo considerado" implica que la inteligencia considera en ese caso a la naturaleza de la interacción en sí misma,
para después considerarla con respecto a los sujetos individuales de los cuales se predica. El término universal como tal sólo
existe en la inteligencia, pero tiene un fundamento en la realidad pues la naturaleza de la interacción existe individual-
mente en cada una de las interacciones efectuadas. Por ejemplo, no existe el universal "moneda" en sí mismo, sino Juan
que paga 10$ a Pedro; pero en *esa* interacción hay un inter-

cambio indirecto realmente existente. La inteligencia *abstrae* la naturaleza de ese intercambio y la considera en relación con varios, y de ese modo forma un concepto universal accidental predicamental.

Lo anterior explica también la cuestión del individualismo metodológico ligado a este punto. Todas las interacciones sociales son reducibles en su origen a las personas que interactúan precisamente porque son relaciones entre personas. Si son relaciones reales, tienen un sujeto y un término de la relación, que son, justamente, las personas interactuantes. El hecho de que sea posible una predicación universal de esa misma interacción -como vimos- no contradice en absoluto el "individualismo metodológico", porque, como vimos, esos conceptos universales existen como universales sólo en la inteligencia, *si bien su fundamento real es la naturaleza de cada interacción realmente existente.* Por otra parte, de esas interacciones consideradas como conceptos universales se predican determinadas propiedades -por ejemplo, decimos que los bienes de capital aumentan la productividad del trabajo; implican un período de ahorro previo; se producen mediante una determinada inversión que implica una determinada tasa de interés, etc.- pero NO se predican acciones que son privativas de las personas -por ejemplo, no decimos que un bien de capital "desea" tal cosa, o que "compró" tal otra, o que "piensa" tal cuestión; etc.-. En cambio, es típico del colectivismo metodológico predicar de ciertos agregados -cuya naturaleza realmente existente es muy dudosa- acciones que son privativas de personas: la "clase social" siente, quiere, piensa, decide, lucha; la "nación" exige, tiene intereses, etc.[36a].

Por último, *digamos que la certeza que proporciona el conocimiento de la esencia de cada interacción en cuestión, no atenta contra el carácter conjetural de todo el programa de*

[36a] *No todo colectivismo metodológico está ligado a posiciones polítias colectivistas.* Ver al respecto Nozick, R.: "On Austrian Methodology", en Synthese, 36 (1977): 353-92.

*investigación en su conjunto, pues dicho programa no es una
enumeración de definiciones sino de relaciones causales en las
cuales están incluidas esas definiciones. Y para la deducción
de esas relaciones causales son necesarias determinadas hipótesis auxiliares de tipo conjetural.*

Con respecto a la segunda cuestión, a saber, la del orden espontáneo, debemos distinguir dos aspectos: la demostración de
que, dadas ciertas condiciones -no imaginarias, sino posibles- el
mercado tiende a la economización óptima de recursos, que es
un caso de un determinado orden espontáneo, y, segundo, las
bases filosóficas que son condición necesaria aunque no suficientes para la demostración de cualquier orden espontáneo. Lo primero es un caso específico de orden espontáneo. Lo segundo es
lo que ahora debemos brevemente aclarar[37].

En primer lugar, una teoría del orden espontáneo supone
el conocimiento limitado por parte de los agentes racionales
que en él intervienen. Este conocimiento limitado puede estar
perfectamente fundado en el realismo moderado de Santo
Tomás. El conocimiento de la cosa real existente no implica
conocimiento científico, y es precisamente ese conocimiento
no-científico el que tiene un papel primordial en el desarrollo
de los órdenes espontáneos. Ese conocimiento de la realidad
no supone, además, un conocimiento total y acabado de la
esencia de las cosas; basta con el conocimiento de algo de la
esencia de la cosa. Y ese conocimiento de la realidad supone,
además del encuentro de la inteligencia con lo dado a ella, lo
que la persona trae consigo en el proceso del conocer: sus
facultades de conocimiento, en cuanto tales, que implican una
síntesis de sus facultades sensibles e intelectuales, más la
función *activa* de lo que Tomás denomina "intelecto agente" lo
cual refiere a esa capacidad abstractiva de algo de la natura-

---

[37] Decimos "brevemente" porque lo hemos hecho más extensamente en
"Hayek y la filosofía cristiana" (op. cit.).

leza de las cosas. Hemos desarrollado este tema in extenso en otra oportunidad[38].

En segundo lugar, toda teoría del orden espontáneo debe suponer el libre albedrío por parte de las personas que en él intervienen[39]. Esta capacidad de elección entre diversos bienes, más la limitación del conocimiento anteriormente referida, és lo que funda esa posibilidad de error y la incertidumbre constante por parte de quienes operan en un orden espontáneo. Posibilidad de error, no sólo en la deliberación racional efectuada, sino también en el acto concreto de elección; incertidumbre, necesariamente, porque ningún ser humano puede conocer con certeza -aunque sí conjeturalmente- las valoraciones presentes y futuras de los demás intervinientes, dado que éstas son *libres*. Esto es: no "imprevisibles", aunque pudieran estar determinadas por factores desconocidos, sino libres en su naturaleza. Pues "valorar" implica *optar*, y es ese acto de elección el que es propiamente libre.

En tercer lugar, todo orden espontáneo tiene un resultado global no planeado previamente por ninguno de sus intervinientes. Eso presupone la *causa final*, como aquello a lo cual el orden espontáneo tiende naturalmente. La causa final es esencial en el pensamiento de Tomás para explicar la noción de orden: precisamente, un conjunto de elementos armónicamente dispuestos en torno a un fin.

En cuarto lugar, si los elementos han sido armónicamente dispuestos en torno a un fin, eso implica una inteligencia ordenadora. Esto, que a primera vista aparece contrario a la teoría del orden espontáneo, que afirma que ninguno de los agentes racionales intervinientes ha planeado ese orden, es sin embargo absolutamente coherente en la filosofía de Santo Tomás. Pues ninguno de los agentes racionales *humanos* ha

---

[38] En nuestro libro Popper: búsqueda con esperanza, op. cit., parte II, punto 1.
[39] Sobre el libre albedrío, ver Santo Tomás, S.T., I-II, q. 10, art. 2c. Hemos tratado esta cuestión en "El libre albedrío y sus implicancias lógicas", en Libertas, Nro. 2, mayo de 1985.

Gabriel J. Zanotti

planeado de ante mano el orden espontáneo, pero sí la inteligencia infinita de Dios. La noción metafísica aquí utilizada es la misma que la de la quinta vía[40].

En quinto lugar, es necesaria aquí una teoría que explique de qué modo una inteligencia infinita planea un orden providencial en presencia de la contingencia de las causas segundas y el libre albedrío de las personas. Eso está detalladamente efectuado por Tomás en el libro III de su Suma Contra Gentiles. Lo que debido a la causalidad finita (orden de causas segundas) es casual -y esa línea de casualidades entrecruzadas es esencial en todo orden espontáneo- NO lo es desde el punto de vista de la visión infinita de Dios. Dios "ve", en un eterno presente, todo aquello que los agentes racionales deciden. El resultado de esa decisión es querido por Dios -si es conforme al orden moral- o permitido -si no lo es-. Que Dios conozca con certeza la acción libre del hombre no la hace no-libre. Es similar a que una hormiga fuera libre y un humano pudiera contemplar en una sola visión el camino libremente elegido por ella cuando lleva su alimento[41].

En sexto lugar, toda teoría del orden espontáneo debe admitir que, desde un punto de vista institucional, una persona humana en funciones de gobierno -en caso de que la hubiere-

---

[40] Esto es, una vez que, en una filosofía creacionista como la de Santo Tomás, se ha demostrado el ser de Dios, todo ente creado no inteligente que actúa por un fin *tiene una esencia y una finalidad que dimana de esa esencia* que están siendo "pensadas" (entendidas) por el acto creador de Dios.

[41] Santo Tomás soluciona la aparente dialéctica entre la certeza de la providencia divina y la libertad humana con su diferencia entre *necessitas consecuentiae* y *neccesitas consecuentis*. En la proposición "Si Sócrates está sentado, entonces Sócrates está sentado", la proposición condicional, como tal, es necesaria, pero la realidad señalada por el consecuente de la proposición ("Sócrates está sentado") es contingente. Lo mismo se aplicaría a la proposición "Si Dios ve que esto ocurre, esto ocurre" (teniendo en cuenta que el "ver" de Dios es *creador*). Ver al respecto también el libro I de la Suma Contra Gentiles, cap. 67. Estas explicaciones no anulan el margen de misterio que estas cuestiones tienen para la mente humana, *pero -nada más ni nada menos- permiten contemplar la NO contradicción del misterio.*

tiene un conocimiento parcial y limitado de las personas (singulares, obviamente) que están bajo el radio de su gobierno, mientras que en el caso del gobierno divino el conocimiento del singular existente es directo y total -sin contradecir por ello, como dijimos, la contingencia y el libre albedrío establecidos por ese mismo gobierno divino-. En nuestra opinión, esto fue expresado así por Santo Tomás: "*En aquellas cosas que son regidas por la providencia humana, se halla que algún provisor superior, respecto de ciertos grandes universales, piensa por sí mismo cómo han de ser ordenados; más el orden de los menores no lo piensa él mismo, sino que deja que lo resuelvan otros inferiores; y esto ciertamente ocurre por defecto suyo, en cuanto que o ignora las condiciones de los singulares menores, o no alcanza a pensar el orden de todos, en razón del trabajo y el tiempo que ello requiere.* Pero tales defectos están muy lejos de Dios; pues El conoce todas las cosas singulares, y el conocerlas no le requiere trabajo ni tiempo, puesto que entendiéndose a sí mismo conoce todas las demás cosas, como arriba se ha demostrado (lib.II, cap. 49). Por lo tanto El resuelve el orden de todas las cosas singulares; y así su providencia versa sobre ellos inmediatamente"[42].

Con respecto al factor aprendizaje, haremos sólo dos breves comentarios. En primer lugar, es obvio que la capacidad

---

[42] En <u>Suma Contra Gentiles</u>, Ed. Club de Lectores, Bs. As., 1951, trad. de María Mercedes Bergada; libro III, cap. 76. Latín original: "Adhuc. In his quae humana providentia reguntur, invenitur quod aliquis superior provisor circa quaedam magna et universalia per se ipsum excogitat qualiter sint ordinanda, minimorum vero ordinem ipse non excogitat, sed aliis inferioribus excogitandum relinquit. Et hoc quidem contingit propter eius defectum: inquantum vel singularium minimorum conditiones ignorat; vel non sufficit ad omnium ordinem excogitandum, propter laborem et temporis prolixitatem quae requiretetur. Huiusmodi autem defectus longe sunt ad Deo: nam ipse omnia singularia cognoscit; nec in intelligendo laborat, aut tempus requerit, cum intelligendo seipsum, omnia alia cognoscat, sicut supra (l. 1, c. 46) ostendum est. Ipse igitur omnium et singularium ordinem excogitat. Elius igitur providentia est omnium singularium inmediate" (BAC, tomo II, p. 308).

de aprender de sus errores y corregir la conducta es una capacidad inherente al conocimiento racional limitado del ser humano. En ausencia de esta capacidad, un ser humano muere, sencillamente. Lo que es incierto es el grado de esta capacidad en cada ser humano, y, como veremos después, es incierto también el grado de esta capacidad en cuanto al proceso de mercado se refiere. En eso, opinamos que Hayek ha visto acertadamente.

En segundo lugar, esta operación implica también un "*verstehen*", un acto de comprensión que me permite conjeturar exitosamente las valoraciones de las demás personas. Pero esta comprensión es no-científica; esto es, no se trata de una fuente de elaboración o descubrimiento de hipótesis en ciencias sociales, tal cual la hemos descripto, sino de un acto no-científico, cotidiano, sobre cómo piensan y valoran las demás personas, que llevamos a cabo no sólo en intercambios de mercado. Para tener esta capacidad no es necesaria una educación formal.

Por último, con respecto a las "*pattern predictions*", haremos sobre todo un comentario metodológico. Los textos de Hayek al respecto parecen decir que ellas son "generales y negativas", pero tal cosa, en nuestra opinión, hay que precisarla lógicamente.

"Generales", porque lo que hacen es establecer el resultado global del orden espontáneo (según se observa en la cita efectuada en la nota 36). Creemos que su forma lógica es la de una proposición universal afirmativa, del tipo "todo S es P". Ahora bien: "negativas" porque sus *falsadores potenciales* son proposiciones singulares negativas, del tipo "algún S no es P". Creemos que esto se ajusta al segundo tipo de falsador potencial descripto por Popper: "*Putnam has overlooked the existence of these two different kinds of predictions. The firts kind can be put in the form of 'At such and such a space-time region, there exists such and such an object'; these I have called 'basic statements'; the second kind can be rendered in the form of a nonexistential proposition, 'there does not exist such and such a thing, at such and such a space-time region'''*[43]. Como se puede observar, los falsadores potenciales de las *pattern predictions* son parecidos a las del segundo tipo. Lo cual permite inferir en teoría un cuerpo de falsadores potenciales de cada *pattern prediction* del orden espontáneo. Por ejemplo, si la pattern prediction global del orden espontáneo del mercado es que "todo mercado libre tiende al equilibrio", una *pattern prediction derivada* será, por ejemplo[43b], que todo mercado libre de trabajo tiende al equilibrio de oferta con demanda laboral. Su falsador potencial será "algún mercado libre de trabajo no tiende al equilibrio de oferta con demanda laboral", lo cual implica que para que dicha proposición sea verdadera debe observarse la existencia de al menos un mercado libre de trabajo donde tal cosa ocurra; dicha constatación de existencia ("existe al menos un mercado libre de trabajo donde no se tiende al equilibrio de oferta con demanda") implica de algún modo un testeo empírico. Sobre la sistematización final de esta cuestión, volveremos más adelante.

Efectuados nuestros comentarios respecto a los aportes hayekianos, pasemos a nuestro siguiente autor.

3. Machlup

Del economista austríaco F. Machlup, discípulo de Mises en su Privat Seminar y posteriormente distinguido profesor en la John Hopkings University, vamos a tomar sobre todo tres elementos: a) su noción del *testeo empírico indirecto global* (teig) de todo el sistema de economía; b) su noción de las *assumed conditions* como factor clave de la *aplicación* del sistema a un caso particular; c) su noción de las *fundamental*

---

[43] Ver RC (op. cit.), punto 11, pág. 998.

[43b] Nuestra noción de pattern predictions <u>derivadas</u> permitiría contestar la crítica que al respecto hace Mark Blaug en su artículo "Hayek Revisited", en <u>Critical Review</u>, Vol. 7, Nro. 1, winter 1993.

Gabriel J. Zanotti

assumptions como aquello que puede someterse al "teig". Vamos a explicar a continuación estos elementos[44].

La noción del "teig" surge sobre todo de dos análisis de Machlup: su noción de lo "a priori" y su debate con Hutchison al respecto[45]. Machlup parte de una concepción amplia de lo que "a priori" significa en economía, diciendo que la mayor parte de los economistas que se ubican en esa tradición (cita a Menger, Robbins, Mises, Knight, etc.), por más "provocativas" que hayan sido sus definiciones sobre tal punto, en realidad lo que hacían era enfatizar *la elaboración a priori del cuerpo teórico principal de la economía* (sus "*fundamental assumptions*" -f.a.-), pero dejaban abierta la posibilidad del testeo empírico de las *consecuencias* de esas f.a. Y ubica en la línea de los economistas "ultraempiristas" a aquellos que pretendían un testeo empírico de esas mismas f.a.; no de sus consecuencias. Hutchison le responde[46] que de ningún modo es así; que los economistas que <u>no</u> son partidarios de la tradición a priori citados por Machlup de ningún modo pretenden testear las bases teóricas del sistema, sino que, como cualquier buen conocedor del método hipotético-deductivo lo haría, sólo pretenden testear sus consecuencias inferidas deductivamente. Ante esta respuesta, Machlup vuelve a aclarar su noción de testeo empírico, para destacar sus diferencias con Hutchison. Dice

---

[44] Machlup desarrolla estos importantes conceptos en su ya clásico artículo "The Problem of Verification in Economics", en Southern Economic Journal, vol. 22, Nro. 1, Julio de 1955, págs. 1-21. Hemos explicado esta misma cuestión más en detalle en nuestro libro Caminos abiertos (op. cit.) y "Machlup: un puente entre Mises y Lakatos" (op. cit.).

[45] Sobre este debate, ver Hutchison, T.: "Professor Machlup on Verification in Economics", en Southern Economic Journal, Vol. 22, Nro. 4, Abril de 1956, y Machlup, F.: "Rejoinder to a Reluctant Ultra-Empiricist", en Southern Economic Journal, vol 22, Nro. 4, Abril de 1956. Nosotros hemos comentado con detalle este debate en Caminos abiertos (op. cit.). Todos estos artículos han sido reproducidos en la recopilación efectuada por Caldwell, B.J.: Appraisal and Criticism in Economics, a Book of Readings, Allen and Unwin, Boston, 1984.

[46] Ver nota anterior.

que es cierto que este último no pretende un testeo empírico directo de las f.a., pero sí un testeo empírico indirecto (esto es, a través de sus consecuencias) de modo *independiente*, esto es, de cada una en particular. En cambio, lo que Machlup había dicho es que el testeo empírico de las f.a. es no sólo indirecto, sino también *global*, esto es, ninguna de ellas puede ser testada indirectamente *de modo independiente*.

Esto es: si A, B y C son f.a., y D el conjunto de condiciones iniciales, y de ese *explanans* se infiere deductivamente el *explanandum* E, entonces A, B y C no pueden ser aisladamente testeadas (esto es, no tienen cada una de ellas una consecuencia a ser testeada), sino que sólo pueden ser testeadas en la medida que se falsee (-E) o se corrobore (E) el juicio singular que constituye el *explanandum*. En símbolos: $\{[(A.B.C).(D)]\ E\}$ (premisa mayor); $-E$ (premisa menor); $-[(A.B.C).(D)]$ (conclusión). Como se puede observar, esta noción de teig de Machlup responde a los más elementales y rigurosos cánones de la lógica del MHD (método hipotético-deductivo). Lo que Machlup sostiene para la economía sucede también para la más alta física teórica, como él mismo dice.

Ahora bien: un vez que el economista establece el cuerpo básico de su teoría, las f.a., puede establecer también las "hipótesis de bajo nivel", esto es, las condiciones iniciales de su *explanans*, en términos popperianos, o, en términos de Machlup, las *assumed conditions* (a.c.). Estas a.c. describen situaciones de tipo singular, y no universales como las f.a. Describen, precisamente, la situación particular a la cual el economista va a "aplicar" (esta es una noción clave, que Machlup toma de Mill[47]) sus "f.a.". Machlup las divide en tres tipos: las que describen el tipo de mercado, el tipo de política económica y el tipo de instituciones jurídicas y sociales básicas.

Una vez puestas en conjunción a las f.a. con las a.c., el economista puede suponer un *"assumed change"* (un cambio

---

[47] Ver <u>Caminos abiertos</u>, op. cit., cap. 1, punto 1, y cap. 2, punto 2.

supuesto; por ejemplo, supongamos que aumenta la demanda de factores de producción del sector agropecuario), dato singular que el economista hace pasar por la cadena deductiva anteriormente descripta. Esto es: *assumed change* + f.a. + a.c., todo lo cual da un resultado, un *explanandum* o una predicción prospectiva, que es el *"deduced change"* (E). El *assumed change* más las f.a. más las a.c. forman una conjunción lógica que es negada o no según "E" sea falsado o corroborado. Para hacerlo en un esquema que se encuentra en el mismo artículo citado de Machlup:

assumed change (singular)

f.a. (universales)

a.s. (singulares)
1
2
3

deduced changed (singular) (E).

El esquema simboliza la cadena de deducción.

Machlup es plenamente conciente que aunque "E" sea "disconfirmado" (para usar sus términos) eso no implica negar automáticamente a las f.a., y también es conciente de que aunque E sea "no-disconfirmado" eso no significa de ningún modo "verificar" con certeza a las f.a., sino sólo, siguiendo sus términos, "ilustrarlas" en una determinada situación singular. Esto es, es conciente de las limitaciones metodológicas del testeo empírico porque es conciente de esas limitaciones en todas las ciencias. El término "ilustración" empleado por Machlup cuando E es corroborado alude también a que en ciencias sociales -aunque no sólo en ellas- la observación de lo singular está muy cargada de teoría y además ninguna variable puede aislarse. De allí la expresión "hipótesis de bajo nivel" para las a.c.

Esto implica el tercer elemento que hemos tomado (el segundo ya lo hemos explicado): *las f.a. sólo pueden someterse a un testeo empírico indirecto y global; nunca a una falsación o corroboración indirecta aislada, y menos aún directa.*

Los aportes metodológicos de Machlup tienen una notable similitud con los aportes lakatosianos, cuestión que ya se ha hecho notar[48] anteriormente. Sus f.a. hacen las veces del núcleo central del sistema; sus a.c. son de algún modo ciertas hipótesis ad hoc, aunque más bien auxiliares según nuestra caracterización, y el o los deduced changes son como los "hechos nuevos" del programa de investigación de Lakatos. *Por otra parte, que las f.a. no puedan testearse empíricamente sino con conjunto con la operatoria global de todo el sistema coincide notablemente con la noción lakatosiana de que el núcleo central sólo puede llegar a ser falsado una vez que el científico toma la decisión de que el programa es empíricamente regresivo, o corroborado si lo contrario.*

Veremos más adelante cómo estos aportes metodológicos de Machlup, junto con la noción hayekiana de las *pattern predictions,* nos permiten dar una solución más o menos plausible (decimos así porque en estas materias los problemas son interminables) al problema del testeo empírico en economía (y por qué no, en cualquier ciencia social) y, además, nos permiten solucionar ciertos problemas de ciertos supuestos básicos no deducibles de la praxeología que en la escuela austriaca de economía son básicos para la deducción de la *tendencia* del mercado al equilibrio.

Con respecto a loa aportes filosóficos de Machlup, nos hemos explayado con más detenimiento en otro momento, donde el tema era más relevante a nuestros fines. No es el

---

[48] Ver Langlois, R.N., y Koppl, R., "Fritz Machlup and Marginalism: a Reevaluation"; paper presentado a la University of Connecticut y Aurbun University, respectivamente; Octubre de 1987, págs. 8-9.

caso en este momento. Sólo diremos que adopta con respecto a los fundamentos filosóficos últimos de las f.a. una posición relativamente no-realista, combinando el *Verstehen* con la fenomenología que toma de A. Shutz[49]. Para nuestra reconstrucción del programa de investigación en economía tal cosa no es relevante pues después veremos que nuestras f.a. tienen como fundamento último a la praxeología de Mises, la cual, a su vez, hemos ya reelaborado bajo fundamentos realistas de tipo tomistas.

Mas importante será en su momento, en cambio, la concepción amplia que Machlup tiene de las ciencia, al no restringir dicho término a un concepto unívoco del método, sino a una concepción analógica, que admite métodos distintos. Tal concepción amplia de las ciencias es lo que le permite criticar al "complejo de inferioridad de las ciencias sociales"[50], complejo que se produce cuando estas últimas tratan de imitar a las naturales -en su versión inductivista- creyendo que sólo así serán "científicas". Pues lo que diferencia al conocimiento científico de otro que no lo sea es, según Machlup, que el científico es "imparcial, sistemático y más complejo o más preciso que el conocimiento popular de ese momento"[51]. Este paso del conocimiento no-científico al científico, no estricto *ni circunscripto a sólo un método en particular*, sino amplio, gradual y abierto a varios métodos, coincide con lo que después nosotros desarrollaremos como una concepción *analógica* de la ciencia. Pero, como decimos, deberemos ocuparnos de tal cosa más adelante.

Analizados los aportes de Mises, Hayek y Machlup que son relevantes para nuestros fines, y reelaborados bajo un metasistema filosófico realista, estamos en condiciones de pasar a la exposición sistemática de nuestro programa de investigación.

---

[49] En su art. citado en nota 44, págs. 16-17.
[50] Ver su art. "El complejo de inferioridad en ciencias sociales", en <u>Libertas</u>, Nro. 7, octubre de 1987.
[51] Idem, pág. 272.

CAPÍTULO TERCERO: HACIA UN PROGRAMA DE INVESTIGACIÓN EN ECONOMÍA POLÍTICA

0. Elementos

Nuestro .programa de investigación contará fundamentalmente con tres elementos:

a) un núcleo central, expresado en un nivel universal (sin consideraciones de tiempo y lugar, similar a las f.a. de Machlup);
b) un conjunto de hipótesis auxiliares de bajo nivel (similares a las *assumed conditions* de Machlup o las condiciones iniciales del MHD popperiano), expresadas a un nivel singular;
c) la progresividad o regresividad empírica del programa por medio de una combinación del método de las *pattern predictions* hayekianas y el método "teig" de Machlup.

Vamos a describir a continuación a cada uno de estos elementos. Como el lector podrá imaginar, en la descripción del núcleo central deberemos tener sumo cuidado.

1. El núcleo central

El núcleo central estará compuesto, a su vez, de cuatro elementos:

a) un sub-núcleo central praxeológico, <u>filosóficamente</u> no-falsable;
b) un conjunto de sub-hipótesis auxiliares (de nivel universal) que NO son deducibles del sub-núcleo central praxeológico. Estas se dividen en tres tipos: b.1.: antropológicas;
       b.2.: sociológicas;
       b.3.: institucionales.
c) las "construcciones imaginarias";

d) un conjunto de leyes económicas deducidas de a) + b), expresadas también a nivel universal.

Vamos a continuación a explicar cada uno de estos elementos y a ejemplificarlos.

a) El sub-núcleo central

Está compuesto por el axioma central praxeológico ("toda acción humana implica el intento deliberado de pasar de una situación menos satisfactoria a otra más satisfactoria") y 24 teoremas o leyes praxeológicas que se derivan de él. Reiteramos que los fudamentos filosóficos de este sistema han sido expuestos en detalle en nuestra tesis citada[52]. Por ahora, digamos que de este axioma central se infieren deductivamente cuestiones tan importantes como la teoría subjetiva del valor, la utilidad marginal, la productividad marginal, la preferencia temporal, el interés originario, la ley de rendimientos decrecientes, etc.

Por ejemplo, una de las leyes inferidas será la ley de utilidad marginal: si aumenta el número de unidades valorizadas de un determinado bien, el valor de cada unidad tiende a descender, y viceversa.

La verdad de dicha proposición está asegurada en la medida que el razonamiento que se utiliza sea correcto y además sea verdadera la premisa de la cual partimos.

Por eso decimos que este sub-núcleo central es filosóficamente no-falsable. Esto es, no es una sola convención lo que nos hace decir que es no-falsable, sino que la premisa de la cual partimos (la descripción de acción anteriormente aludida) es la conclusión, a su vez, de un sistema filosófico (la antropología filosófica de Santo Tomás) *el cual no es susceptible de testeo empírico*. Como después demostraremos con

---

[52] En "Fundamentos...", op. cit., parte I. (Págs. 84-101).

más claridad, ello no implica que no sea "ciencia". Sólo que el método empleado para llegar a esa conclusión (y premisa central de la praxeología) NO es el método hipotético-deductivo. La introducción de elementos metafísicos en un programa de investigación es algo perfectamente admitido por los cánones popperianos y lakatosianos; lo que esos cánones difícilmente aceptarían (creemos que especialmente en Lakatos) es la *certeza* que estamos otorgando en este caso a estos elementos.

Por supuesto, esta certeza de la que hablamos no implica que el sistema que sostiene al axioma central praxeológico no sea "revisable"; pero lo es de otro modo: analizando los razonamientos efectuados y las evidencias de las cuales partimos. Idem para el desarrollo del sistema praxeológico.

b) Las hipótesis auxiliares NO deducibles de la praxeología

Estamos aquí frente a una serie de hipótesis, de "postulados" que, al no deducirse de la praxeología, no pueden mantener esa "cadena de certeza" que tienen las leyes praxeológicas, y que describen situaciones cuya existencia o no es contingente. Por supuesto, también lo es la existencia de al menos un ser humano del cual se describe la conducta humana en la praxeología; la diferencia es que, de existir al menos un sólo ser humano, existen las leyes praxeológicas, mientras que en este caso, la existencia de al menos un ser humano o algunos no garantiza la existencia de las situaciones descriptas por estas hipótesis auxiliares.

Estas hipótesis auxiliares son conjeturales, en ese sentido, y se plantean en el programa previamente a cualquier observación (con ello queremos decir: previamente a su posible testeo empírico).

Las habíamos dividido en tres grupos.

b.1.: antropológicas.

Las antropológicas describen características *que pueden darse en cada persona sin referencia a una relación real en acto con otra persona.* Aludiremos sobre todo a dos:

b.1.1.: *alertness*;

b.1.2.: principio de maximización monetaria.

La *"alertness"* es una de las grandes contribuciones del economista I. Kirzner, discípulo de Mises. Las contribuciones de Kirzner a la escuela austriaca corren sobre todo por dos aspectos[53]: haber sistematizado con plena claridad la distinción entre el mercado como proceso y los modelos neoclásicos de competencia perfecta y sus variantes[54], y, en íntima relación con lo anterior, haber establecido la función empresarial como una función de "estar alerta" a las oportunidades de ganancia en el mercado.

El mercado NO es una situación de equilibrio que supone además conocimiento perfecto por parte de sus participantes. Al contrario, es un proceso dinámico, que, como hemos dicho, supone errores e incertidumbres por parte de sus sujetos actuantes. Por supuesto, el mercado como equilibrio podría ser defendido epistemológicamente en una concepción instrumentalista de la ciencia, donde no es relevante la verdad de las premisas del modelo sino el éxito de las predicciones inferidas a partir de él. Friedman parece haber sistematizado esa situación[55]. Pero una concepción instrumentalista de la ciencia, donde la verdad o acercamiento a la verdad de las premisas del modelo es irrelevante, es contradictoria con la posición

---

[53] Ver nota 31b y Sarjanovic, I.: "El mercado como proceso: dos visiones alternativas", en Libertas, Nro. 11.

[54] Sobre estas "variantes" ver el libro de Thomsen citado en nota 27.

[55] En su clásico artículo de 1953 "The Methodology of Positive Economics"; en Essays in Positive Economics; Chicago: University of Chicago Press, 1953; reproducido en Caldwell, B.: "Appraisal...", op. cit., pág. 136; versión castellana en Ensayos de economía positiva; Gredos, Madrid, 1967, pág. 9.

realista que hemos adoptado (esto es, desde luego, una mera crítica externa); es, además, inconveniente para el progreso mismo de la ciencia[56], y, además -esta última es una crítica interna- es dudoso que sean exitosos los resultados obtenidos a partir del modelo defendido por Friedman[57].

En segundo lugar, si el mercado es un proceso dinámico, que implica muchos errores e incertidumbres por parte de quienes en él operan, hay dos posibilidades: o es un completo caos[58], o, al contrario, hay determinadas "fuerzas equilibrantes" que hacen tender al mercado a una situación de equilibrio, aunque sin alcanzarla nunca. Esto es lo que principalmente han tratado de demostrar Mises, Hayek y Kirzner en toda su obra científica. Una de esas fuerzas equilibrantes es el "factor empresarial": la suposición de que hay un número suficiente de personas que tienen la capacidad de "estar alertas" a las oportunidades de ganancia que existan en el mercado. Esta capacidad -sumada a presupuestos institucionales que describiremos después- es uno de los factores que ayudan a acercar los factores de producción a las necesidades señaladas prioritarias por la demanda. *Una de las contribuciones importantes de Hayek al respecto es haber señalado la importancia de los precios (libres, obviamente) como sintetizadores del conocimiento disperso que se encuentra en el mercado.* Este elemento es esencial para que aquel que tenga capacidad de percibir oportunidades de ganancia -y consiguiente inversión- pueda hacerlo a través de los movimientos, siempre cambiantes, de los precios de los bienes y servicios en el mercado.

---

[56] Ver Popper, K.: Realismo y el objetivo de la ciencia; Tecnos, Madrid, 1985; cap. 1, punto 12, pág. 152, y CR (op. cit.), cap. 3, punto 5, pág. 148.

[57] Sobre esta cuestión y el debate que gira en torno a este problema, nos hemos explayado con más detalle en Caminos abiertos, op. cit.; cap. 3, 2, y cap. 4, 2.

[58] Al respecto, ver Garrison, R.W.: "From Lachmann to Lucas: on Institutions, Expectations, and Equilibrium Tendencies", en Subjetivism, Intelligibility and Economic Understanding, New York University Press, New York, 1986.

La "ignorancia" de aquellos que no perciben oportunidades en el mercado no es similar a una ignorancia "conciente" que se asume como un costo más. No es la de un especialista en filosofía que *sabe que no sabe* lo que está sucediendo en la bolsa de valores de su ciudad y que, de saberlo y de contar con otros conocimientos, obtendría más ingresos (por ejemplo). La "ignorancia" de aquel que NO percibe oportunidades señaladas explícitamente por Kirzner es la de aquel que *no sabe que no sabe* y por ende pierde una oportunidad[59]. Quien tiene *"alertness"* empresarial, advierte oportunidades que otros no. No es tampoco un conocimiento sobre el pasado, sino sobre todo una capacidad de conjeturar sobre las *valoraciones futuras* en el mercado. No es tampoco una capacidad que requiera instrucción formal, sino una habilidad que puede poseerse naturalmente.

Ahora bien: nada asegura que exista en el mercado un número suficiente de personas con esta capacidad[60]. Luego, la postulación de la existencia de un grado suficiente de *alertness* empresarial es claramente una hipótesis auxiliar conjetural.

Una reflexión adicional que podríamos hacer es que últimamente se ha destacado mucho[61] la importancia del factor *conocimiento* como la *clave* del éxito del sistema económico. Esto, que últimamente parece un descubrimiento, fue y sigue siendo el eje central de los aportes de la escuela austriaca en

---

[59] Ver Thomsen, E.: Prices and Knowledge (op. cit.).

[60] Ver Langlois, R.N.: "Knowledge and Rationality...", op. cit., y Thomsen, E.: "Precios e información", op. cit.: "...en un mundo con individuos que no son omniscientes, lo más probable es que estén ocurriendo constantemente errores empresariales. Si estos errores, y los consecuentes desequilibrios que producen en los precios, fuesen siempre extremos (es decir, si la mayor parte de los empresarios estuviese desperdiciando sistemáticamente oportunidades muy rentables), los mercados, poblados de gente que utiliza los precios como guías de acción, serían caóticos. *Esto, aunque no es una posibilidad inconcebible*, no es lo que se ha observado por lo general" (los destacados son nuestros).

[61] Incluso en la enc. Centesimus annus, (op. cit.), punto 32.

economía política. De aquí se entiende también que la oposición de los economistas austriacos al socialismo y al intervencionismo fue una cuestión académica y no un capricho ideológico, como algunos interpretan. *El director central socialista no puede concentrar todo el conocimiento necesario para una economización óptima de recursos, pero sí pueden ser economizados óptimamente -que no es lo mismo que "perfectamente"- por la conjunción de "alertnidades" dispersas a través del sistema de precios libres que sirve como fuente de información.* Y el intervencionista, al intervenir esos precios, distorsiona y/o anula precisamente esa fuente de información, condición necesaria para la economización de recursos. Y el director central socialista no puede hacerlo precisamente porque no cuenta con esos precios libres, incompatibles con sus sistemas. Tal la gran contribución y *predicción* de Mises en 1920[61b].

Pasemos ahora a la siguiente hipótesis auxiliar antropológica.

b.1.2.: el principio de maximización <u>monetaria</u>.

Este principio *no* debe ser confundido con el principio de maximización *praxeológica*, anteriormente aludido, y que es el axioma central del sistema de la praxeología. Al respecto, no vamos a reiterar todas las aclaraciones efectuadas en *Caminos abiertos* (op. cit., cap. 4, 3), donde también explicábamos los debates que han sido clásicos respecto a este principio. Por eso subrayamos la palabra *monetaria*, para destacar que se trata de la conocida relación directamente proporcional entre precio y cantidad ofrecida, por parte de la oferta, y relación inversamente proporcional entre precio y cantidad demandada, por parte de la demanda. En términos más senci-

---

[61b] Ver su libro <u>El socialismo</u>; Instituto de Publicaciones Navales, Buenos Aires, 1968.

llos, a mayor precio, mayor oferta, y menor demanda. La variable independiente en ese caso es el precio monetario.

Lo importante, desde el punto de vista epistemológico, consiste en varias cosas. *Primero, este principio NO puede ser deducido de la praxeología, como una ley necesaria de la conducta humana.* Suponer lo contrario implicaría un grave error antropológico[62]. En Caminos abiertos ya hemos refutado los intentos al respecto. Frente a la obvia posibilidad de que, ante el aumento del precio la demanda puede aumentar (por ejemplo), algunos han dicho que en ese caso no se trata "del mismo bien" (Rothbard) o algunas veces se dice que, en ese caso, no se trata de la "conducta del consumidor", la cual se "define" por su relación inversamente proporcional al precio. Ambos intentos de convertir al principio de maximización monetaria en una proposición analítica, no sintética, yerran, por cuanto en el primer caso no se advierte que, de hecho, la cuestión es saber cuándo se trata o no del mismo bien, y en el segundo caso se trata de saber qué cantidad de personas se comportan de hecho según la "definición" de comprador. Ambos datos son contingentes tanto desde un punto de vista epistemológico como *ontológico* (dado el libre albedrío de las personas) y, por lo tanto, no pueden de ningún modo ser colocados como datos necesarios de la conducta humana.

Por eso el principio debe postularse como una hipótesis auxiliar NO deducible de la praxeología. Por supuesto, se la postula "a priori" exactamente como todo el cuerpo de teoría general puede ser postulado a priori del testeo empírico según los cánones metodológicos Popper-Lakatos. "A priori" NO es lo mismo -como a veces se piensa- que analítico, o necesario "de

---

[62] Este error NO fue cometido por J. S. Mill, como a veces se cree. Ver, al respecto, On The Definition of Political Economy; and on the Method of Investigation proper to it, de 1894; especialmente el cap. V (En Essays and Some Unsettled Questions of Political Economy; Augustus M. Kelley Publishers; Clifton 1974.

re"[63]. Por otra parte, como todas estas hipótesis auxiliares, es absolutamente irrelevante, desde un punto de vista epistemológico, saber de hecho el "Nro. de veces" en que se cumplen, y menos aún su "grado de probabilidad". Será la progresividad o regresividad empírica del programa -esto es, una "macrocorroboración" al estilo popperiano- indicará si hubo un grado suficiente de conducta maximizadora, evitando de ese modo cualquier problema de inducción respecto a estas hipótesis auxiliares.

Una última observación que no es tanto de carácter antropológica o metodológica, sino ética. La conducta maximizadora monetaria, como toda conducta humana libre, es buena o mala moralmente, pero no en sí misma (como los actos humanos *siempre* buenos, -como honrar a Dios- o los *siempre* malos -como odiar a Dios-), sino según el *objeto, fin y circunstancias* que rodeen al acto en cuestión. La conducta maximizadora monetaria NO es, en ese sentido, una conducta necesariamente "materialista" desligada de altos valores desde un punto de vista moral. *Una monja perteneciente a la obra de la Madre Teresa de Calcula puede verse en la disyuntiva de administrar los pocos recursos dinerarios con los que cuente a fines de comprar ropa y alimentos para las personas que atiende (si es que no obtuvo esos bienes en especie) y, si frente a igual calidad, elige los de menor precio, se estará comportando como un consumidor típico de libro de texto de economía, sin que ello disminuya en nada su santidad. Más bien, al contrario.*

Pasemos ahora al siguiente grupo de hipótesis auxiliares.

---

[63] Hemos explicado con más detalle este punto en nuestra tesis "Fundamentos...", op. cit., parte III, punto 1, págs. 137-143; ver también Llano, A., op. cit.

b.2. Sociológicas.

Bajo ese término aludimos a aquellas hipótesis que hacen pasar del ámbito individual al ámbito social, elemento obviamente esencial para la economía como ciencia social. Son a nuestro juicio fundamentalmente dos:

b.2.1. La cooperación social;

b.2.2. la ley de división del trabajo.

Debe aclararse que, en ambos casos, la contingencia epistemológica y ontológica de ambas hipótesis no se refieren tanto a la esencia de lo que describen, sino a su existencia.

Esto es: la esencia de lo que describen es sintética suponiendo la existencia de al menos un ser humano; mientras que las leyes praxeológicas son analíticas suponiendo la existencia de al menos un ser humano. Esta aclaración no debe dar lugar a pensar que estamos colocando a la existencia como condición de analiticidad; la aclaración se debe a que nosotros sostenemos que, en caso de existencia de un ser humano, las leyes praxeológicas pueden inferirse necesariamente, mientras no es así con los presupuestos no-praxeológicos. (Esto es relevante para el caso de la discusión sobre si las leyes del mercado se cumplen "necesariamente" o no en caso de un mercado real). "Sintético" y "analítico" implican en este caso la traslación lógico-lingüística de una necesidad ontológica [lo analítico] o contingencia ontológica [lo sintético]).

La primera postula la existencia de más de un individuo y una determinada interacción social entre ellos. Supone una descripción esencial (fenomenológica) de lo que la sociedad es en sí misma[63b] y sus diferencias y ventajas con las llamadas sociedades animales. La ley de división del trabajo está en íntima conexión con lo anterior. Postula que el trabajo efectuado por diversas personas según las diversas aptitudes con

---

[63b] Hemos esbozado una descripción tal en nuestro libro El humanismo del futuro; Ed. de Belgrano, Buenos Aires, 1989, cap. 2, punto 1.

las que cuenten tiene más productividad que el efectuado por sólo una. Esto es esencial, pues si no fuera por esta ley, la interacción social produciría en sí misma una mayor indigencia al ser humano y la cooperación social anteriormente aludida sería imposible. La ley de división del trabajo permite que, a diferencia de la competencia biológica que existe entre diversas especies animales, donde la existencia de más cantidades de individuos implica una lucha mortal entre ellos por los recursos escasos, en el ser humano la mayor cantidad de individuos, en tanto esté acompañada de relaciones comerciales según sus diversas capacidades y aptitudes, implica una convivencia pacífica y un aumento en la cuantía de bienes, ya escasos en sí mismos. En última instancia, la cooperación social, a través del mercado, transforma la lucha violenta en convivencia pacífica.

Por último, y en íntima conexión con lo anterior, debemos postular también determinados *supuestos institucionales de tipo jurídico.* (Hipótesis auxiliar b.3.). Esto es, el mercado, en el cual hay, como dijimos, errores e incertidumbres por parte de sus agentes, requiere ciertas instituciones jurídicas *para que permanezcan en el mercado sólo aquellos que menos errores cometan y manifiesten mayor "alertness" empresarial.* Esas instituciones son sobre todo la propiedad privada de los medios de producción y consumo y sus corolarios: libertad de precios y libertad de entrada al mercado. "Libertad de entrada al mercado" supone ausencia de privilegios, entendiéndose por éstos protecciones por parte del estado a una persona o a un grupo de personas para que realicen una determinada actividad; esas protecciones pueden ser monopolios legales o intervenciones directas (ej.: tarifa arancelaria). Estos presupuestos no son contingentes en cuanto a la esencia jurídica que describen pero sí en cuanto a su existencia. Por supuesto, y como diremos después, en ciencias sociales no podemos pretender la constatación exacta de la existencia de determinadas instituciones jurídicas como las que hemos descripto. Sólo una mayor o menor aproximación a la esencia descripta es la que implicará el grado de eficiencia con el cual el mercado opere. De igual modo que en los casos anteriores, sólo la progresividad empírica del programa indicará un grado suficiente de libertad de entrada al mercado como la descripta.

Una de las ventajas epistemológicas de esta última hipótesis auxiliar, es que su presencia "o no" cubre el espectro posible de leyes económicas inferidas en el programa. En efecto, si suponemos propiedad privada y libertad de entrada al mercado, inferimos lo que podríamos llamar la "economía pura de mercado"[64]. Si, al contrario, suponemos diversos tipos de intervenciones estatales sobre los mercados, inferimos la "teoría del mercado intervenido". Si, por último, suponemos ausencia total de la propiedad, inferimos la "teoría de imposibilidad de cálculo económico en el socialismo"[65]. De ese modo el programa de investigación cubre, para todo lugar y tiempo, el mayor conjunto de fenómenos económicos posibles.

c) Las "construcciones imaginarias"

Nos referimos aquí a las así llamadas por Mises, vistas en su momento. Lo que hay que tener en cuenta desde un punto de vista epistemológico, es que, mientras las hipótesis auxiliares postulan situaciones *perfectamente posibles*, las "construcciones imaginarias", como dijimos, son ayudas sólo mentales (*ens rationis*[66]) para una correcta deducción. Como habíamos dicho, la primera se refiere al "*ceteris paribus*" (invariadas restantes circunstancias) y la segunda a la situación de economización *perfecta* de recursos, a la cual el mercado

---

[64] Ver Mises, La acción humana, op. cit., cap. XIV, punto 3.

[65] Idem, caps. XXV y XXVI.

[66] Esto es, entes que dependen para su existir de un acto de pensamiento humano. Hemos explicado esta cuestión en nuestro ensayo La unidad de la teoría lógica en su forma no-matemática y en su forma matemática; UNSTA, Tucumán, 1988.

tiende sin alcanzarla *nunca*. Por eso, cabe destacar aquí que "óptima" y "perfecta" no son adjetivos que indiquen lo mismo en cuanto a la economización de recursos del mercado. El mercado libre puede tener una economización "óptima" de recursos, esto es, la mejor posible, dadas condiciones suficientes desde el punto de vista jurídico, sociológicas y antropológicas. Lo que nunca puede tener es una economización "perfecta". Eso sólo existe como un *"ens rationis"* en los modelos neoclásicos de competencia perfecta, que, como vemos, en nada interesan al programa de investigación que estamos proponiendo, excepto como construcción imaginaria de perfecto equilibrio, esto es, excepto como aquella situación a la cual el mercado "tiende". Por supuesto, y como Mises explica, de alcanzarse esa imposible situación, el mercado como tal desaparecería, pues todas las necesidades humanas estarían absoluta y totalmente satisfechas. Los marxistas ortodoxos postularon algo así en el "paraíso socialista"[67]. Pero el mercado, en cambio, no es ningún paraíso. Sí, en cambio, algo mejor que los infiernos en la tierra que producen los que pretenden instaurar el cielo en la tierra[67a].

Con respecto al *"ceteris paribus"*, debemos decir que a diferencia de otras veces donde esa cláusula ha pretendido evitar los problemas del testeo empírico[68], en nuestro programa de investigación de ningún modo es así. Sólo pretende analizar los resultados del movimiento de una variable en particular. Ninguna otra es su pretensión.

---

[67] Los cristianos sabemos que esa situación no es de este mundo, sino del otro, cuando, en la medida de nuestro NO rechazo de la misericordia divina, estemos contemplando para siempre su Divina Esencia.

[67a] Sobre el utopismo, ver Popper, K., CR (op. cit.), cap. 18, pág. 429.

[68] Eso sucedería si al decir "invariadas las restantes circunstancias" intentáramos evitar la introducción de variables que podrían, precisamente, falsar nuestra conjetura.

d) Las leyes económicas deductivamente inferidas

De todo este conjunto (sub-núcleo central, más hipótesis auxiliares no deducidas del sub-núcleo central) se deducen, junto con las herramientas mentales descriptas en el punto c, todo el conjunto de leyes económicas. Esto es, el resultado deductivo de la aplicación de las leyes praxeológicas a los presupuestos sociológicos e institucionales sumando a ello las hipótesis de tipo antropológico. Por eso creemos que puede mantenerse la caracterización de la economía política como el estudio de la conducta humana *en el mercado* desde el punto de vista de las implicaciones formales de la descripción de acción.

Metodológicamente, el procedimiento es axiomático-deductivo, si bien, debido a la utilización de hipótesis auxiliares NO praxeológicas, hay que recurrir a algún método de constatación de la progresividad o regresividad empírica del programa. En este sentido, los axiomas de la economía política son los siguientes:

a) el axioma praxeológico central más las leyes praxeológicas inferidas a partir de él (que en nuestra sistematización son 24);

b) el conjunto de hipótesis auxiliares tipo a, b y c.

(Recordemos que las construcciones imaginarias no entran como hipótesis auxiliares sino como "entes de razón" metodológicamente necesarios para la deducción).

La *necessitas* de las leyes económicas es *de dictio* en cuanto son inferencias deductivamente necesarias a partir del conjunto de premisas descriptas. Entre ellas, las "a" tienen además, como dijimos, *necessitas "de re"* supuesta la existencia de al menos un ser humano. Las "b", aunque exista al menos un o algunos seres humanos, pueden existir como no existir, y en ese sentido son ontológicamente contingentes. Esa contingencia ontológica se traslada transitivamente a las conclusiones inferidas y por ende éstas (las leyes económicas) no tienen *necessitas de re* como las prexeológicas, lo cual es otro modo de decir que no son absolutamente necesarias sino en la medida de la efectiva "presencia" de las situaciones descriptas en las hipótesis auxiliares. *Justamente por esto es que el problema del testeo empírico aparece.*

Cabe aclarar que la contingencia ontológica de la que hablamos no es causada por el libre albedrío del ser humano. Esto es así porque, en la medida en que algunas leyes económicas expresen una "*necessitas de re*", esto es, sean expresadas en un juicio condicional cuyo consecuente es necesario no sólo *de dictio*, esa necesidad lo que está mostrando es la *consecuencia necesaria de una valoración libremente establecida*. Por eso las leyes económicas, así concebidas, no atentan contra el libre albedrío, sino que lo suponen. No dicen cuáles serán las opciones del ser humano, sino las *consecuencias* de esas opciones. Por ejemplo, es una consecuencia deductivamente inferida que el poder adquisitivo de la moneda aumente si, *ceteris paribus*, aumenta la demanda de dinero; lo que es absolutamente libre es que la demanda aumente o descienda. Pero, como vimos, para llegar a esas "consecuencias" son necesarias una serie de hipótesis auxiliares cuya contingencia ontológica (a partir de la existencia de seres humanos) es lo que se traslada ontológicamente a esas consecuencias, aunque la inferencia sea deductiva (lo cual es otro modo de decir "necesaria *de dictio*").

A partir de todo esto, podríamos decir que las leyes económicas surgen de la combinación de dos sistemas axiomático-deductivos en sentido amplio (esto es, y como ya dijimos, no formalizados): el sistema 1 sería el praxeológico, cuyo axioma es la descripción de acción y cuyos teoremas son las inferencias deductivas a partir del mismo; tales inferencias son las leyes praxeológicas. El sistema 2 es el sistema de economía política; dicho sistema tiene como axiomas a los teoremas praxeológicos y a las hipótesis auxiliares no praxeológicas; el conjunto de inferencias deductivas a partir de esos axiomas son las leyes o teoremas económicos. Con lo cual quedan bien distinguidas las leyes praxeológicas de las económicas.

Como explicamos en nuestra tesis sobre la praxeología (op. cit.) es totalmente acorde con la lógica de los sistemas axiomáticos que lo que es teorema en uno sea axioma en otro; lo que no puede ser es que una proposición sea axioma y teorema *del mismo* sistema. Lo que define a un axioma como tal es que *es una proposición no demostrada en un determinado sistema*; luego, nada obsta a que una proposición praxeológica que es teorema en su sistema sea tomada como axioma en otro (en este caso, el sistema 2, de economía política). La noción de "axioma" y "teorema" es una noción lógico-formal; no hace referencia al contenido de la proposición.

Si las leyes económicas surgen de la aplicación de los teoremas praxeológicos al mercado (lo cual supone las hipótesis auxiliares descriptas) entonces la organización de las mismas que habitualmente se utiliza (dentro de la escuela austriaca de economía) es la siguiente: el sistema 2 (economía política) se dividirá en <u>tres</u> subsistemas. (Podrían ser considerados globalmente <u>dos</u>; ya veremos por qué). El primero es el que se origina suponiendo la hipótesis auxiliar del supuesto jurídico de propiedad privada y libertad de entrada al mercado; podría denominarse "economía pura de mercado"[69]. Este subsistema

---

[69] Mises consideraba a la "economía pura de mercado" como una construcción imaginaria; en nuestra reconstrucción epistemológica, hemos visto que reservamos ese término para entes de razón, y no para teorías que describan situaciones posibles en la realidad. Excepto por este problema epistemológico, la descripción que hace de una "economía pura de mercado" es exacta: "...En la imaginaria construcción de una economía pura o de mercado no interferido suponemos se practica la división del trabajo y que rige la propiedad privada (el control) de los medios de producción; que existe, por tanto, intercambio mercantil de bienes y servicios. Se supone igualmente que ningún factor de índole institucional perturba la libre operación del correspondiente mercado. Finalmente, se da por sentado que el gobierno, es decir, el aparato social de compulsión y coerción, estará presto a ampa-

tiene habitualmente unos cinco temas básicos. Primero se analiza la noción de mercado y precios. Segundo, se particulariza la situación de cambio indirecto (moneda), ya presente también en el primer tema (donde se trata de precios monetarios). Tercero, se analizan los mercados específicos, esto es, los mercados de los factores de producción. Esto implica tres puntos: un análisis de las leyes de los factores de producción en sí mismos, (1ro.); un análisis del factor de producción capital (2do.) y un análisis de los factores originarios de producción: trabajo y recursos naturales.

El segundo subsistema se origina cambiando la hipótesis auxiliar que supone propiedad privada y libertad de entrada al mercado. Se supone una eliminación "parcial" de ese supuesto, esto es, se supone que determinados agentes gubernamentales intervienen coactivamente los intercambios en estos diversos mercados; el análisis de este subsistema 2 (llamado habitualmente "el mercado intervenido") es concomitante con los temas del 1: se analizan los efectos de la intervención gubernamental en los precios, en el mercado monetario, y en lo factores de producción.

---

rar la buena marcha del sistema, absteniéndose de actuaciones que puedan desarticular su mecánica, protegiéndole contra los posibles ataques de terceros. El mercado goza, así, de plena libertad; ningún agente ajeno al mismo interfiere los precios, los salarios, ni los tipos de interés. Partiendo de tales presupuestos, la economía trata de averiguar qué efectos provocaría esa economía pura de mercado. Sólo más tarde, cuando ya ha quedado debidamente expuesto cuanto cabe inferir del análisis de tal imaginaria construcción, pasa el economista a examinar las cuestiones que suscita la interferencia del gobierno o de otras organizaciones capaces de recurrir a la fuerza y a la intimidación en la mecánica del mercado" (en La acción humana, op. cit., pág. 310; *cabe aclarar que en el original inglés (Contemporary Books, Chicago, 1966, pág. 237) no aparece en ningún momento de este pasaje la palabra "mecánica" sino "operation" y "functioning").* Cabe aclarar nuevamente, además, para que no haya ninguna confusión, que Mises no supone en ningún momnto las condiciones de la "competencia perfecta" en el esquema que acaba de describir.

Por último, podría establecerse un subsistema 3, si suponemos la eliminación "total" de la propiedad, que implicaría, en términos de Mises, la "cooperación social en ausencia de mercado". El tema tratado allí es la imposibilidad de cálculo económico (esto es, imposibilidad de economizar recursos en el marco social) en un sistema donde no hay precios libres que surjan de la propiedad privada. En realidad, la distinción entre el subsistema 2 y 3 no es nítida, principalmente por la obvia dificultad que, en una ciencia social, implica distinguir entre eliminación "parcial" o "total" del supuesto jurídico de propiedad privada y libertad de entrada. Podría hablarse en ese sentido de intervencionismo parcial o total, o socialismo parcial o total. Como bien diría Popper, no es cuestión de discutir términos, sino de ver claramente el problema que tenemos entre manos. Y el problema (el *explanandum*) que tenemos entre manos es que hay determinados fenómenos que ocurren en el mercado cuando no se lo interviene y otros que ocurren cuando sí se lo interviene. Eso es todo. Nada más, *ni nada menos*.

Según lo que acabamos de establecer, esta sería la organización de los temas del sistema 2, esto es, de la economía política:

Subsistema 1: economía pura de mercado.
Subsistema 1, A: mercado.
Subsistema 1, B: cambio indirecto (mercado monetario).
Subsistema 1, C: factores de producción.
Subsistema 1, C, 1: factor capital;
Subsistema 1, C, 2: trabajo y recursos naturales.
Subsistema 2: intervencionismo o mercado intervenido.
(División: idem).
Subsistema 3: cooperación social en ausencia de mercado; o, si se prefiere:
Subsistema 2, C, 3: la intervención total.

2. Hipótesis auxiliares de bajo nivel

Una vez explicado el contenido del núcleo central, hay que determinar, siguiendo los cánones del MHD popperiano, las condiciones iniciales del *explanans*, las cuales, en términos del economista Machlup, son, como dijimos, las *"assumed conditions"* del método en economía.

Con estas hipótesis auxiliares de bajo nivel tenemos dos inconvenientes.

En primer lugar, si rara vez los economistas se ponen de acuerdo sobre el contenido de la teoría general, conjeturamos que igual situación existe para la clasificación de los datos singulares que deben utilizar en cada situación. Machlup[70] sugiere una división tripartita. En primer lugar, condiciones que pueden variar de caso por caso pero que son lo suficientemente conocidas como para realizar análisis teóricos. Da una larga lista[71], que muestra que serían éstas las más dependientes de la teoría general.

En segundo lugar coloca a las condiciones que pueden variar más rápidamente pero a la vez pueden influir enfáticamente sobre el resultado del proceso. La lista colocada indica que preferentemente están en este caso las condiciones de política económica general[72].

---

[70] Ver Op. cit., p. 14.

[71] "...Here is a list of examples: type of goods envolved (durable; non durable; perishable; inferior, non-inferior; taking up substantial or negligible parts of buyer's budget; sustitutable, complementary; etc.); cost conditions (marginal cost decreasing, constant, increasing; joint costs, etc); elasticity of supply or demand (positive, negative, relatively large, unity, less than unity); market position (perfect, imperfect polypoly; collusive, uncoordinated oligopoly; perfect, imperfected monopoly); entry (perfect, imperfected pliopoly); expectations (elastic, inelastic; bullish, bearish; certain, uncertain); consumption propensity (greater, smaller tahn unity); elasticity of liquidity preference (infinite, less tan infinite, zero)" (idem).

[72] "...A list of examples will indicate what is meant by conditions prevailing under the current "setting": general business outlook (boom spirit, depres-

Gabriel J. Zanotti

En tercer lugar establece condiciones que pueden variar de país a país y en largos períodos de tiempo, pero pueden ser asumidas como "establecidas" en un suficiente número de casos de tal modo de considerarlas constantes (esto es, más permanentes). La lista se refiere preferentemente al marco institucional y cultural[73].

Como se puede observar, es muy variable lo que se puede considerar relevante en cada caso. Pero, si nos atenemos sólo al marco clasificatorio, creo que podemos considerar que, si simplificamos y a la vez re-ordenamos el criterio de Machlup, podemos distinguir fundamentalmente los siguientes tres tipos de *assumed conditions*: a) tipo de mercado; b) tipo de política económica; c) tipo de marco institucional. Aún así, las tres se conectan. El tipo de mercado depende del marco institucional, como así también la política económica. Esto implica que la *assumed condition* más relevante es el marco institucional-jurídico. El criterio distintivo es, sin embargo, que, bajo un mismo marco institucional, puede haber diversos tipos de mercado en cuanto a la extensión y tipo de bienes y servicios ofrecidos (por ejemplo, en una política de transición, aunque se pase jurídicamente de un mercado intervenido a uno abierto el mercado puede seguir siendo oligopólico ("pequeño", en términos no técnicos) por un tiempo, hasta que la libertad de entrada comience a hacer su efecto de crecimiento

---

sion, pessimism); bank credit availability (banks loaned up, large excess reserves); central bank policy (ready to monetize government securities, determined to maintain easy money policy, willing lo let interest rate rise); fiscal policy (expenditures fixed, adjusted to tax revenues, geared to unemployment figures; tax rate fixed, adjusted to maintain revenue, etc); farm program (support price fixed, flexible within limits, etc); antitrust policy (vigorous prosecution of cartelization, etc); foreign aid program; stabilization fund rules; trade union policies" (idem, p. 14-15).

[73] "...Examples include legal and social institutions; private property; freedom of contract; corporation law; patent system; transportations system; enforcement of contracts; ethics of law violations; social custom and usages; monetary system (gold standart, check system, cash holding habits)" (p. 15).

y diversificación), y, bajo marcos institucionales relativamente similares puede haber políticas económicas sumamente diversas.

El caso donde el marco institucional es idéntico a la política económica es cuando el marco institucional ha anulado todo tipo de intervención al mercado, de modo que la política económica se reduce en ese caso a lo que quede de política fiscal[74].

Habíamos dicho que teníamos dos inconvenientes. El segundo es el propiamente epistemológico, y, por ende, el que propiamente nos compete.

En toda relación entre las condiciones iniciales del *explanans* y la predicción o efecto del *explanandum*, tanto las primeras como la segunda están influidas por la teoría general.

Como Popper ha explicado[75], todo juicio falsador potencial, elaborado sobre la base de la predicción del *explanandum*, tiene implícitos los conceptos generales de la teoría general. *Y, además, las condiciones iniciales del explicans son elegidas y consideradas relevantes en función de la teoría general.*

El primer problema tendría un modo realista de solucionarse, que hemos sugerido en otra oportunidad. Más adelante, en la parte quinta, nos referiremos nuevamente a esta cuestión. Con respecto a la segunda cuestión, es importantísima, pero habitualmente olvidada tanto en ciencias naturales como en las sociales. En las naturales, por más "experimentos controlados" que se realicen, las condiciones singulares <u>relevantes</u> para establecer la experimentación están siendo guiadas en la mente del científico por la hipótesis que intenta testear. En las ciencias sociales, sucede algo similar. Los "hechos" relevantes son seleccionados en función de la conjetura o el programa de investigación que se tiene in mente. Muchos suponen

---

[74] Rothbard, obviamente, no estaría de acuerdo con esto último. Ver, al respecto, su tratado de economía, <u>Man, Economy and State</u>, Nash Publishing, Los Angeles, 1970; cap. 12, punto 8.

[75] Ver Popper, K., <u>La lógica de la investigación científica</u>; Tecnos, Madrid, 1967, cap. V, pág. 90.

inadvertidamente, por ejemplo, que se puede hablar de la guerra X suponiendo que el hecho de que tal guerra sucediera es un hecho totalmente desnudo de elaboración conceptual previa. Sin embargo, eso implica que ya se tiene in mente lo que una guerra es, lo cual guía a su vez lo que consideramos relevante para describirla.

Esta cuestión -la cual podría ser llamada "círculo metodológico", como veremos después- tiene una perspectiva realista que más adelante trataremos de sistematizar. Por ahora, hay que tener en cuenta que las *assumed conditions* económicas relevantes, como así también el criterio clasificatorio general de las mismas, son elegidas -en el primer caso- y elaborado -en el segundo caso- en función del programa de investigación que tenemos in mente.

Por lo tanto, en ciencias sociales se plantea, tal vez más agudamente que en las naturales, el problema de que lo que creemos hechos singulares desnudos de teoría están sin embargo "cargados", o "cubiertos" de ella. Y en economía esto se plantea tanto en las *assumed conditions* como en el *deduced effect* cuyo falsador potencial, vía negación, se plantea teóricamente de modo previo al testeo empírico. Ahora bien, si los juicios falsadores potenciales y las *assumed conditions* singulares son claves para la realización del testeo empírico, y éste es lo único que puede indicarnos el "acercamiento a la verdad" del programa, pero, a su vez, estos dos elementos singulares claves ya están influidos por la teoría del programa de investigación en cuestión, ¿no se plantea un "círculo" entre lo general y lo particular del cual parece imposible salir?

Sólo puede intentarse resolver este problema con una sistematización gnoseológica que nos permita establecer criterios de "verdad" para las *assumed conditions*, que después se trasladen transitivamente a los juicios falsadores potenciales.

Decimos "sistematización gnoseológica", porque desde un punto de vista *metodológico* está fuera de toda duda que la teoría es previa al testeo empírico. Pero, desde un punto de vista gnoseológico, la relación entre conceptos generales y "hechos" singulares sigue siendo más problemática.

Adelantamos los criterios que deberemos establecer para un intento de solución de esta cuestión:

a) habíamos dicho que en ciencias sociales es posible llegar a la "esencia" de un hecho social, concomitantemente con el desarrollo de un programa de investigación, pues los "hechos" sociales son interacciones entre personas cuya esencia está en la finalidad de las mismas, esencia que puede "entenderse" intelectualmente. Esto implicaría sistematizar un tercer tipo de "comprensión" en ciencias sociales: la intelección de la esencia del hecho social en cuestión.

b) Lo anterior implica algún tipo de sistematización de un criterio *hermenéutico*, interpretativo, de los hechos sociales. *Este punto será sistematizado en la parte quinta.*

De no resolverse estos problemas, el científico social deberá conformarse sólo con un criterio meramente *convencionalista* para la solución del problema de la base empírica. Lo cual aumentará la relatividad de las conclusiones a las que el científico social llegue.

3. La progresividad o regresividad empírica del programa

En este punto, antes de intentar resolver las cuestiones filosóficas que quedaron planteadas, deberemos concentrarnos en cuestiones más bien lógico-metodológicas.

Habíamos dicho que en este punto haríamos una combinación entre los aportes de Machlup y Hayek para un posible testeo empírico en ciencias sociales. Ya hemos ganado terreno en varios sentidos, no sólo porque hemos visto de qué modo encaran ellos la cuestión, sino también porque hemos aclarado plenamente el sentido absolutamente limitado y humilde de la expresión "testeo empírico" para las ciencias sociales (y para

<u>todas</u> las ciencias): implica, solamente, la siguiente advertencia: "aquí-hay-un-problema". Nada más. Absolutamente nada más.

3.1. La "aplicación" del núcleo central a un caso particular

Sea el núcleo central "p", y un caso particular "q". Ya sabemos que "caso particular" alude a las condiciones iniciales popperianas y/o a las *assumed conditions* de Machlup. Constituyendo, de ese modo, "p" y "q" el explicans, se infiere "r", que en ese caso será una predicción prospectiva. Esto es, el economista realiza una predicción de lo que ocurrirá en el caso concreto. El juicio falsador potencial, en ese caso, será "-r". Si sucediera que "- r", entonces, como dijimos antes, hay un problema.

Ya sabemos que "- r" niega un conjunto de elementos, conjunto que puede ser muy amplio. Por eso, desde un punto de vista estrictamente lógico, tenemos una negación de una conjunción del primer miembro de un silogismo condicional. Esto es:

$$(p \cdot q) \quad r$$
$$-r$$
$$\overline{}$$
$$-(p \cdot q)$$

Pero recordemos que, en este caso, "p . q" está simbolizando algo muy complejo. "p" alude a todo el núcleo central, cuyos tres elementos básicos ya hemos visto, y "q" alude al conjunto de *assumed conditions*, que son al menos tres. Por lo tanto, metodológicamente, tenemos precisamente el "problema" al que aludimos, que es que no podemos saber estrictamente qué elemento de ese numeroso conjunto está produciendo la falla. Metodológicamente, una norma sería comenzar a "revisar" el programa de abajo para arriba. Para ello debemos recordar que, de arriba hacia abajo, tenemos los siguientes elementos:

a) sub-núcleo central praxeológico;
b) sub-hipótesis auxiliares falsables, de nivel universal;
c) inferencia de las leyes económicas;
d) hipótesis auxiliares de nivel singular, divididas en tres:
d.1. tipo de mercado;
d.2. tipo de política económica;
d.3. tipo de instituciones jurídicas.

Si a partir de todo eso inferimos "r", y se da "- r", entonces la norma metodológica sería comenzar una revisión de abajo hacia arriba:

a) primero se revisan las *assumed conditions*; esto es, primero revisamos el conjunto de datos singulares que hemos manejado, para ver si hay algún error en ellos.

b) Sólo después se pasa al núcleo central, en el siguiente orden:
b.1. primero se revisa la inferencia deductiva cuyas premisas en el conjunto de axiomas praxeológicos más el conjunto de sub-hipótesis auxiliares falsables universales.

Si la inferencia está bien realizada, entonces pasamos a:
b.2., donde conjeturamos la posibilidad de que alguna de las sub-hipótesis auxiliares falsables no estén presentes en un "grado suficiente".

¿Y qué hacenos con el sub-núcleo central praxeológico? Depende. En nuestra posición filosófica, ese sub-núcleo central no es falsable, y por lo tanto la regresividad empírica del programa no lo alcanzaría. Empero, queda la posibilidad de algún error en la deducción de los teoremas praxeológicos -que debería ser consiguientemente corregido-.

3.2. La especificación metodológica de los falsadores potenciales

Hasta ahora, como el lector habrá observado, hemos seguido de cerca la concepción del "testeo empírico indirecto global" de Machlup. Ahora bien, vamos a sistematizar la cuestión de los falsadores potenciales con el aporte hayekiano de las *"pattern predictions"* ya explicadas.

Habíamos dicho que una *pattern prediction* implicaba una predicción general global, no específica en cuanto a lugar y tiempo, cuya expresión lógica es un sencillo juicio universal afirmativo. Su falsador potencial, consiguientemente, es un juicio singular negativo. Ahora bien, como Popper dice, se puede llegar directamente a la inferencia de que tal juicio es su falsador potencial, pero no se puede pasar a un juicio singular afirmativo sin la mediación de las condiciones iniciales. Ahora bien, tal es la función de las *assumed conditions*.

Supongamos que el economista cuenta con el núcleo central que tiene una *pattern prediction* general (por ejemplo, en el caso del núcleo central que nosotros adherimos, "todo mercado libre tiende al equilibrio entre oferta y demanda") del cual se derivan *pattern predictions* <u>derivadas</u> en cada caso de mercado. Por ejemplo, en el caso del mercado de capitales, "todo mercado libre de tasas de interés tiende al equilibrio entre ahorro e inversión". Para llegar a afirmar que "este mercado de tasas de interés tiende (o está) al (en) equilibrio entre ahorro e inversión" el economista debe pasar por una serie de *assumed conditions* singulares, entre las cuales debe contarse, por ejemplo, que exista mercado libre de tasas de interés, sistema bancario libre, libertad de entrada a dicho mercado, sistema monetario libre, suficiente *alertness* empresarial, etc. Dadas tales condiciones singulares, el economista puede hacer una predicción prospectiva singular: "<u>este</u> mercado libre de tasas de interés tenderá al equilibrio de ahorro e inversión". Ahora bien: previamente, también de manera teórica, sabe cuál es su falsador potencial: "*este* [...] no tiende a dicho equilibrio".

Todo esto implica varias cosas:

a) el economista puede hacer predicciones positivas singulares mediando *las assumed conditions*;

b) el economista puede saber de antemano cuáles son los falsadores potenciales de su programa sin pasar por esas *assumed conditions* (mediante el mecanismo lógico de las *pattern predictions* hayekianas).

Ahora bien: el núcleo central que hemos expuesto es de "alto contenido empírico". Esto es: explica *y por ende* predice muchas cuestiones, referidas al mercado en general y a cada uno de los mercados en particular (nos referimos al mercado laboral, de capitales, etc.; no nos referimos a los casos concretos). Luego, su radio de falsadores potenciales, antes de efectuar cualquier tipo de testeo empírico, es amplio (proporcional a su contenido empírico). *Precisamente, esos falsadores potenciales implican, si son verdaderos, que en situación de mercado libre se producen todas aquellas consecuencias que el programa predice para la situación de intervencionismo.* Esto es: si dadas *assumed conditions* que implican la presencia de un mercado libre, el economista austríaco predice, por ende, que en ese mercado no habrá (por ejemplo) desocupación, y, empero, la hay, eso sería una advertencia para el programa. Ahora bien, en nuestra opinión esto nunca ha sucedido hasta ahora. Desde un punto de vista lakatosiano, la escuela austriaca de economía se presenta como un programa de investigación teórica y empíricamente progresivo.

La conclusión general es:

a) efectuada la *aplicación* del núcleo central a un caso singular y concreto, si sus predicciones son corroboradas, el programa es progresivo.

b) si sus predicciones no fueran corroboradas, hay que comenzar a revisar el programa de abajo a arriba.

c) si las predicciones -a pesar de todas las revisiones- no fueran corroboradas, el programa, por un tiempo cuya duración depende de la prudencia del investigador, sería empíricamente regresivo, hasta que se descubra cuál era el programa en cuestión.

d) Como dice Lakatos[76], trabajar en un programa de investigación regresivo no es irracional mientras se tenga conciencia del riesgo (esto es, que nunca se vuelva progresivo).

e) Hasta ahora no se ha dado el caso de una regresividad empírica del programa de investigación de la escuela austriaca de economía.

f) En cualquier caso, el sub-núcleo central praxeológico es *no-falsable en sí mismo*, por razones filosóficas. Empero, esto no niega la necesidad de "revisar" también ese sector, si fuera necesario, mediante una revisión de sus deducciones y/o la verdad filosófica de sus puntos de partida.

---

[76] Ver nota 14.

Capítulo cuarto: Hacia un trialismo metodológico

Con lo anterior hemos cumplimentado la tercera parte de nuestro análisis, a saber, el planteo del programa de investigación a desarrollar en teoría económica. Ahora expondremos el primero de los dos capítulos más filosóficos de nuestro trabajo, que consiste en especificar con cierto detalle los métodos de la teoría económica en la medida su objeto de estudio permita esa pluralidad metodológica. En realidad, estos métodos que ahora plantearemos no sólo estuvieron ya preanunciados en los capítulos anteriores, sino que pueden también aplicarse a las diversas ciencias sociales en general. Empero, la prudencia nos dicta que por ahora vayamos procediendo "*via inventionis*" (de lo particular a lo general) y por ende nos ocuparemos de aquellas cuestiones que sean especialmente relevantes para la teoría económica. Una generalización hacia las demás ciencias sociales será hecha en su momento cuando nuestro pensamiento haya madurado aún más estos temas.

1. El objeto de estudio de las ciencias sociales y de la economía. Hacia una fenomenología de las ciencias sociales

Las ciencias sociales tratan de *interacciones humanas*. La realidad metafísica que está allí en juego es el accidente *relación*, que en este caso es una relación real cuyo sujeto y término son dos personas y cuyo fundamento es la acción conjunta entre ambas.

Al explicar a Hayek ejemplificamos con la interacción que in abstracto denominamos "moneda". Al definirla como "medio de intercambio general" estamos hablando de una mercancía que no se adquiere para consumo directo, sino para intercambiar por otras mercancías que sí tendrán consumo directo. El ejemplo nos muestra que hay allí implicado un "para qué" del intercambio realizado que en este caso muestra *la esencia* de la interacción en cuestión. O sea que toda interacción puede definirse esencialmente según su "*finis operis*" (el fin de la interacción en sí misma) independientemente del "*finis operantis*" de cada persona que participa en la interacción, esto es, las intenciones particulares de aquellos que participan en el intercambio monetario. Esto es: todos los que intercambian con moneda lo hacen para adquirir bienes de consumo finales (*finis operis*) lo cual a su vez tiene diversos fines particulares (ir de vacaciones, ayudar a tal o cual fundación, etc.). Lo primero es objetivo, esto es, inherente a la interacción en sí mismo; lo segundo es subjetivo y no es la esencia de la interacción.

Si hacemos una división cuatripartita del ente real con sus derivados lingüísticos, que proviene al parecer de Aristóteles[77] y que es luego asumida y superada por Santo Tomás en su síntesis creacionista, podríamos decir que el ente finito se distingue en: sustancia y accidente, y esto a su vez en lo individual y lo universal. En este sentido, tendríamos:

Sustancia	individual	universal	
	Sustancia primera	Sustancia segunda (esencia de la sustancia)	
Accidente	Accidente individual	Esencia del accidente	

Si damos un ejemplo y sus derivados lingüísticos, nos queda:

---

[77] Ver al respecto Angelelli, I.: <u>Studies on Gottlob Frege and</u> Traditional Philosophy; D. Reidel Publishing Company, Dordrecht, Holland, 1967. Punto 1.44.

Sustancia	individual	universal	
	Este ser humano (Juan)	La humanidad	
Accidente	Este color blanco	"lo" blanco o "la" blancura	

Ahora vamos a ubicar a las interacciones en sí mismas consideradas en esta distinción cuatripartita. Ante todo, aclaremos que sólo la sustancia individual y sus accidentes individuales tienen *actus essendi* (que es el mismo, pues el accidente recibe su ser de la sustancia), lo cual implica que sólo la sustancia individual -más sus accidentes- existe; mientras que lo universal es una propiedad lógica que la inteligencia humana asigna al concepto por el hecho de considerarlo en relación con "varios" de los cuales se predica[78], *pero esa universalización tiene fundamento in re en la naturaleza o esencia de cada cosa individual.*

Por lo tanto, cuando decimos "moneda" nos ubicamos en el nivel ontológico, lógico y lingüístico igual al caso de "lo blanco" o "la blancura", esto es, nos estamos refiriendo a la esencia de un accidente en sí mismo considerado, haciendo de ello, además, un concepto universal. En este caso, el accidente en cuestión es la relación que en este caso es la interacción entre personas cuya esencia es ser medio de intercambio general. De más está decir que lo realmente existente es cada interacción en particular, y que el nivel universal nos expresa la esencia de cada interacción, que existe realmente en cada una de ellas.

---

[78] La esencia captada por la inteligencia no es en cuanto tal singular o universal, según Santo Tomás. Pero es el fundamento real de que nuestra inteligencia pueda considerarla en relación a varios individuos de los cuales "se dice" (se predica), para constituir de ese modo el concepto universal.

Ahora bien: si en ciencias naturales, en principio, no podemos conocer la esencia de *cada* cuerpo físico[79], ¿por qué en ciencias sociales podemos definir la esencia de cada interacción social, además de definir la esencia de lo que es una interacción social en sí misma? *Porque en ciencias sociales está presente un elemento humano que, por su espiritualidad, tiene mayor cuantía de acto, y de ese modo, su inteligibilidad es mayor.* Ese elemento es la causa final de cada interacción, precisamente, aquella que caracterizábamos como "finis operis" de la misma. *Todo agente obra por un fin[80], y todo agente humano obra por un fin que caracteriza la interacción con otro agente humano y puede ser conocida por otro ser humano pues un ser humano puede "entender" la causa final de la conducta de otro ser humano por su igualdad de naturaleza.* Esta "comprensión" es análoga a la descripta cuando comentábamos cómo Popper la incorpora a su metodología de las ciencias sociales, pero distinta en cuanto a lo que se "entiende" en este caso es la *esencia* de la interacción y no una relación contingente entre una serie de circunstancias y un curso eventual de conducta (si bien ambas operaciones suponen la igualdad de naturaleza entre científico social y su objeto de estudio).

La comprensión de la esencia de cada interacción implica que distingamos entre la interacción en sí misma (analogante)

---

[79] Ver Maritain, J.: Los grados del saber, Club de Lectores, Buenos Aires, 1983; cap. II, pág. 63; Derisi, O.N.: "La filosofía frente a la física moderna", en Sapientia, año XL, Nro. 157 (1985) UCA, Buenos Aires; Beltrán, O.: El conocimiento de la naturaleza en Ch. De Koninck, tesis de licenciatura, inédita, presentada a la Univerisdad Católica Argentina en diciembre de 1991; también nuestro libro Popper: búsqueda con esperanza; parte II, punto 6. Más restrictivos con respecto a esta tesis se muestran Sanguineti, J.J., Ciencia y Modernidad (Carlos Lohlé, Buenos Aires, 1988), pág. 69, y Artigas, M.: Filosofía de la ciencia experimental; Eunsa, Pamplona, 1989.

[80] Ver Santo Tomás, Suma Contra Gentiles, libro III, cap. 2.

y sus diversas manifestaciones históricas (analogados)[81]. Esto es, para seguir con el ejemplo, la interacción moneda no es la misma en el antiguo Egipto, en la antigua Roma o en la ciudad de New York de 1993. Tales serán sus diversos analogados históricos. Pero *la esencia* de la interacción será la misma en los tres casos: medio de intercambio general.

Esta última aclaración nos indica por qué este método de análisis puede denominarse *fenomenológico*. Porque aunque basado en la metafísica y gnoseología de Santo Tomás, sin embargo toma de Husserl una de sus ideas más fecundas: hacer una "abstracción" de la existencia e ir al "sentido" del objeto. Traducido esto a nociones específicamente realistas, en este caso estamos haciendo una abstracción de la "existencia" concreta de cada interacción para ir a la esencia de la misma, lo cual nos permite hacer una "ciencia" general y no sólo un análisis histórico particular. Tal fue precisamente el sentido y la intención de Carl Menger en su seminal libro <u>Principios de economía política</u>[82], cuyos capítulos tienen muchas veces estos significativos títulos: "...Sobre la esencia de los bienes..."; "...Sobre *la esencia* y el origen del valor de los bienes..."; "...Esencia del valor de uso..."; "...Naturaleza y origen del dinero..." (los subrayados son nuestros). *Ahora bien, de lo que NO hacemos abstracción es del "horizonte de comprensión" desde el cual realizamos la acción de entender la causa final de cada interacción.*

Podríamos entonces concluir diciendo que un primer método de la economía política en particular y de las ciencias sociales en general *es el análisis fenomenológico de la esencia de cada interacción, cada una de las cuales se caracteriza por el "finis operis" conjunto de las personas que están interac-*

---

[81] Esta distinción entre las interacciones en sí mismas consideradas como analogantes y sus casos históricos como sus analogados históricos me fue sugerida por la Lic. Elizabeth Stasi.

[82] Ver nuestro libro <u>Caminos abiertos</u> (op. cit.), cap. 1, punto 2.

tuando, conocido por un acto de "intelección" del investigador social en cuestión.

1.1. El individualismo metodológico implicado

Como ya vimos cuando comentábamos los aportes de Hayek, este análisis ontológico de la interacción, en sí misma considerada, implica un individualismo metodológico, que consiste en que todo concepto en ciencias sociales implica que existen, en sus orígenes gnoseológicos, reales personas (que por ser tales son individuales) que interactúan, y que, por ende, éstas no pueden ser "subsumidas" por el concepto en cuestión.

El fundamento metafísico de lo anterior había sido tratado cuando rodeábamos a los aportes de Hayek de un metasistema realista. Allí decíamos, en efecto, que toda interacción social tiene como sujeto y término de la relación a personas, que son individuales por ser tales. Ningún concepto general en ciencias sociales indica en sí mismo a una sustancia que piensa y decide por sí misma, sino que, al contrario, supone la existencia de personas individuales que de ningún modo son subsumidas, sino al contrario, son el fundamento ontológico último de la relación en cuestión que da origen al concepto universal. Por supuesto, la esencia de esa interacción, en cuanto tal, no es individual ni tampoco universal, sino apta, en sí, para ser universalizada. Tampoco el accidente "interacción" es en sí una suma de acciones individuales, sino algo cualitativamente distinto de las solas personas, pero de ningún modo sustituto de éstas.

Los científicos sociales que en sus abstracciones proceden como si la persona no existiera olvidan que la sustancia primera es el sujeto y término de la interacción. Tal es el error metafísico básico del colectivismo metodológico. Ese error se ve en su aspecto lingüístico: es síntoma típico del colectivismo metodológico atribuir a ciertos agregados sociales acciones que son privativas de personas. Nada tenemos contra las teorías sobre lo que una nación es en sí misma, pero, por ejemplo, si se afirma que la nación "quiere, siente, demanda, etc.", se incurre en este típico colectivismo metodológico. En este sentido, las ciencias sociales deben ser muy cuidadosas de los verbos predicados de sus nociones generales. Hay propiedades privativas de las interacciones en sí mismas y otras privativas de las personas. Un precio en sí mismo es un sintetizador de información dispersa, pero en sí no quiere ni piensa. Esto, que en este ejemplo resulta medianamente obvio, al parecer no lo es tal cuando al hablar de interacciones tales como el gobierno, la nación o el bien común -nociones generales en sí mismas correctas y muy necesarias para ciertos análisis- se predican de ellas propiedades privativas de las personas individuales.

Finalmente, una aclaración importante: estas nociones fenomenológicas se van explicitando en el desarrollo del programa de investigación en cuestión. Esta aclaración es importante a efectos de que se comprenda que la inteligencia humana trabaja en este caso, como en todo, en una combinación permanente entre *intellectus* y *ratio*, esto es, entre captación de las esencias y sus relaciones causales, las cuales, en el contexto de descubrimiento del programa -el cual es muy importante en ciencias sociales- son deductivas.

2. El análisis praxeológico

Hemos visto ya que el presupuesto de acción racional es básico en cualquier contexto de descubrimiento en ciencias sociales. Pero el problema allí es aclarar a qué nos referimos con "acción racional".

Ya hemos visto esta cuestión cuando tratamos a Popper, Mises y Hayek. En esos casos, vimos los siguientes elementos:

a) en el caso de Popper, vimos de qué como él utiliza un presupuesto de conducta racional *en sentido restringido*;

b) en el caso de Mises, vimos en detalle qué es la praxeología y de qué modo utiliza un sentido de acción racional *en sentido amplio*;

c) en el caso de Hayek, vimos que éste enfatiza el carácter de descubrimiento para esa acción racional en sentido amplio.

Teniendo en cuenta estos elementos, vamos a sistematizar esta cuestión del siguiente modo:

2.1. La conducta racional *en sentido restringido* implica *tres* presupuestos: a) que el agente racional dispone de toda la acción disponible y/o ha asumido como un costo la información de la que no dispone[83]; b) que dispone correctamente (esto es, con eficiencia) los medios con respecto al fin; c) que realizará un acto de *maximización monetaria* en caso de que la relación costo/beneficio de su acción se maneje dentro de precios monetarios, esto es, comprará en el mercado más barato en situación de igual calidad y riesgo y venderá en el más caro en situación de igual calidad y riesgo.

No necesariamente estos tres presupuestos se dan juntos; basta uno de ellos para que estemos en presencia de un presupuesto de acción racional en sentido restringido.

No necesariamente, tampoco, la utilización de este presupuesto es incorrecta en ciencias sociales, siempre que se tengan en cuenta sus limitaciones. Ellas son: a) *no siempre* el ser humano se comporta racionalmente en el sentido de los sub-presupuestos b) y c); b) no siempre el ser humano *debe* comportarse según los sub-presupuestos b) y c); c) ambos sub-presupuestos (b y c) no necesariamente se implican; d) es imposible que el ser humano se comporte *realmente* según lo indica el sub-presupuesto a). Por lo tanto, su utilización impli-

---

[83] Ver Thomsen, Prices and Knowledge, op. cit., cap. 3.

cará un modelo necesariamente hipotético "de re", lo cual no genera *necesariamente* problemas *mientras se tenga conciencia de ello.*

En esta etapa de nuestras investigaciones, no hemos visto muchos resultados fructíferos a partir de la utilización de estos presupuestos. Por eso proponemos la utilización preponderante del presupuesto de acción racional en sentido amplio, cuya ventaja es que parte de lo que la conducta humana es en sí misma, y, por ende, su aplicación es universal para toda acción humana libre. Este presupuesto no es por ende una hipótesis o conjetura sino que expresa con verdad y certeza la esencia de toda acción humana libre.

Según lo ya visto, podríamos decir que, a partir de la noción de acción racional como asignación libre de medios con respecto a fines, establecemos también estas características de la conducta racional:

a) toda conducta racional está sujeta *al error*, dada la limitación del conocimiento humano;

b) toda conducta humana se mueve en un contexto de *incertidumbre*, por el mismo motivo y porque las acciones libres de otras personas son intrínsecamente impredecibles con certeza por el ser humano;

c) toda conducta humana se mueve en un contexto de *ignorancia*, dada la limitación de su conocimiento, ignorancia que no es sólo desconocimiento de algo que se sabe que no se sabe sino de algo que *no se sabe que no se sabe*;

d) en función de lo anterior, toda conducta humana está abierta a la posibilidad del *descubrimiento* de otros cursos de acción presentes y/ futuros de otras personas. Ese "descubrimiento", merced a una "intuición conjetural" de la inteligencia humana, es la contrapartida positiva de aquella ignorancia que consistía en no saber que no se sabe.

e) Ninguna conducta humana, por ende, asigna medios "dados" a fines "dados" o "establecidos" (lo cual sería una concepción estática o "computacional" de la acción racional) sino que asigna libremente medios que deben descubrirse a fines libremente elegidos, cambiantes y que también deben descubrirse[84].

A partir de una noción de acción racional ligada con el riesgo y la incertidumbre, Mises elabora ciertas nociones generales de conducta humana mediante su análisis praxeológico, que como vimos está constituido por las implicaciones formales de la descripción de acción como asignación libre de medios a fines. Vimos en este libro y en nuestra tesis que no hay ninguna contradicción entre esta noción de acción racional y el análisis de la conducta humana de Santo Tomás de Aquino.

Las leyes praxeológicas así inferidas, aplicadas después al caso del mercado, permiten establecer una serie de inferencias necesarias a partir de dichos presupuestos. Dado que el presupuesto de acción racional utilizado tiene verdad y certeza, la necesidad de esas inferencias es tanto *de re* como *de dictio*. Sin embargo, los modelos elaborados sobre la base de premisas praxeológicas no pueden evitar un grado de contingencia, debido sobre todo a estos dos factores: a) los programas de investigación del proceso económico no sólo tienen en cuenta presupuestos praxeológicos, sino también, como ya vimos, presupuestos no-praxeológicos, entre los cuales el principio de maximización *monetaria*, prudentemente utilizado, no está descartado; b) el mismo presupuesto de acción racional en sentido amplio, utilizado por la praxeología, implica que se parte en el análisis de una acción racional sujeta al error, a la incertidumbre y a la ignorancia. Precisamente allí surge la pregunta por el orden: ¿por qué, a partir de tal presupuesto, puede haber orden y no desorden en un proceso social? *La respuesta a tal pregunta es precisamente la teoría del orden espontáneo de Hayek*, cuya no-contradicción con la

---

[84] Ver Hayek, F.A.von: "La competencia como preceso de descubrimiento", en <u>Nuevos estudios en economía, política e historia de las ideas</u>; Eudeba, Buenos Aires, 1981.

metafísica de Santo Tomás también hemos visto en este libro y en otra oportunidad[85]. *Esto es, el presupuesto de acción racional en sentido amplio es totalmente coherente con una epistemología de las ciencias sociales que tenga claro que el objeto de estudio de las ciencias sociales en cuanto a procesos es el orden espontáneo.*

Antes de pasar al tema siguiente, nos queda analizar muy brevemente algunas cuestiones que de algún modo completan este panorama "amplio" de la acción racional. Decimos "muy brevemente" dado que los *items* que analizaremos a continuación merecen en sí mismos un más amplio tratamiento; *sólo diremos lo indispensable a efectos de epistemología de economía y adelantaremos lineas fundamentales de análisis para una epistemología general de las ciencias sociales.*

La primera de estas cuestiones es la relación de la acción racional con el amor de benevolencia[86]. Esta cuestión la habíamos tratado muy brevemente, ya, en una cita de nuestra tesis de 1990[87]. Allí decíamos sencillamente que toda acción, incluso la guiada por el amor de benevolencia, no puede evitar "recibir" el perfeccionamiento moral que se obtiene merced a la acción. Seguimos pensando fundamentalmente lo mismo, pero es una cuestión que debe aclararse todavía mucho más.

En el amor de benevolencia hay lo que podríamos llamar un "máximo desinterés humano". Esa expresión alude al hecho de la entrega al amado por parte del amante, sin ningún tipo de ponderación o "cálculo" en cuanto a qué tipo de beneficios personales el amante recibirá por esa entrega. Evidentemente, si en ese caso decimos que dicha entrega es "útil" al amante, debemos allí dar a la expresión "utilidad" un máximo con-

---

[85] En nuestro ensayo "Hayek y la filosofía cristiana" (op. cit.). Empero, *una teoría general sobre la metafísica del orden espontáneo* está allí apenas esbozada. Su desarrollo en detalle es algo que nos queda pendiente.

[86] Debemos agradecer a Roberto Vassolo sus críticas y comentarios sobre esta cuestión. Sólo yo, desde luego, soy responsable por la posición adoptada.

[87] Op. cit., nota 25a, pág. 97.

tenido analógico que la haga adaptable a este caso, quedando por supuesto distinguida del significado que "utilidad" tiene en las múltiples versiones del modelo económico neoclásico y el modelo de la acción racional robbinsoniano. Lo cual implica que en nuestro análisis el beneficio praxeológico (ganancia praxeológica) puede identificarse en cuanto a su máxima analogía con la actualización de una potencia que implica la conducta racional.

Opinamos que la mayor claridad que podemos lograr en esta cuestión es si meditamos una vez más sobre las expresiones que encontramos en la Suma Contra Gentiles de Santo Tomás, que afirman que "todo agente obra por un fin" y que "todo agente obra por un bien". Tengamos en cuenta que la primera proposición tiene un universo del discurso universal para todo agente, incluso aquel que no tenga la más mínima imperfección y sea al contrario la perfección absoluta, esto es, Dios. Por eso, cuando Dios "da" el ser (esto es, crea) su desinterés es absoluto, en cuanto que al dar el ser hace participar a la criatura de su bondad, y tal participación nada agrega a la absoluta perfección y simplicidad divina.

Lo mismo ocurre con la segunda expresión aplicada a Dios, y por eso se dice que el fin de la creación es la misma Bondad Divina, esto es, Dios. Ahora bien, en el caso de los agentes finitos, el "bien" obtenido por la acción del agente necesariamente agrega algo al agente, dada la estructura acto-potencial y por ende imperfecta del agente. E, incluso, en los agentes finitos racionales, la acción mala moralmente se realiza "*sub rationi boni*" por cuanto que en ese caso se obra por algo que es bueno para determinada potencia del agente pero desordenado, esto es, contradictorio, con su fin último objetivo, esto es, Dios.

Toda acción buena moralmente, en un agente racional finito, agrega perfección al agente, de modo conducente a su fin último, que es Dios. En el caso del hombre, el amor de benevolencia busca el bien del amado. *En ese caso, es absolu-*

tamente necesario entender que el bien del amado y el bien del amante son sólo uno: pues el bien del amante y, por ende, lo que agrega perfección a su ser, es precisamente el bien del amado. Esto se da máximamente en el caso de la amistad, pero también en el caso de que alguien ame a alguien -en el sentido de este amor de benevolencia- y no sea amado por el destinatario de ese amor.

Sólo dando al término "utilidad" en sentido máximamente analogante es que puede entonces decirse con verdad que la entrega al otro es "útil" para el amante, en cuanto "utilidad" hace referencia, en su máxima dimensión analógica, al bien que recibe todo ser humano en toda conducta racional. Así creemos haberlo entendido en nuestro análisis praxeológico.

Es así que, aunque resulte insólito, la acción racional, con sus implicaciones praxeológicas, también se da en el amor de benevolencia. La entrega total al otro implica el máximo bien para la persona que hace dicha entrega, y por ende, su máxima ganancia praxeológica. Por supuesto que si la persona piensa primero en el bien que obtendrá y luego, en función de ello, realiza la entrega, ya esa entrega no es total. Pero ello no obsta a que, si la persona amante se entrega al amado buscando el bien del amado, obtendrá una ganancia praxeológica por su acción. Por algo estamos diciendo que, en este caso, estas nociones praxeológicas son analogantes, que se aplican diversamente a diversos analogados, pasando por todos los grados diversos de acciones moralmente buenas e incluso las malas. Las características antropológico-existenciales y morales de acciones humanas tales como amar a Dios, comerse un chocolate, donar todos los bienes a los necesitados o buscar las máximas oportunidades de ganancia monetaria en el mercado <u>son distintas</u> (esto es, sus analogados son diversos), pero todas coinciden en que hay un agente racional y libre que está obrando por un bien. Y tal es el analogante de la conducta racional.

Obviamente, estamos dispuestos a cambiar los términos si para alguien resulta muy chocante aplicar nociones tales como "ganancia", "costo", "utilidad", etc., que culturalmente están ligadas a acciones en el mercado, pero no a acciones de amor de benevolencia. Pero no es sólo es cuestión de términos: estamos abiertos a alguna demostración que logre concluir que el universo del discurso de nuestras nociones praxeológicas de acción racional son sólo aplicables a ámbitos más restringidos, y no aplicables al complejo y rico mundo antropológico-existencial del amor de entrega. Lo único en lo que insistimos es esto: nuestro análisis de la acción racional se ha fundado sobre todo en estas dos tesis de Tomás: todo agente obra por un fin, y todo agente obra por un bien. Y, preguntamos: ¿en qué medida puede decirse que el amor de benevolencia no corresponde a esos dos presupuestos?

La segunda cuestión que debemos analizar brevemente es la cuestión de las pasiones. La pregunta es más o menos la misma: ¿en qué medida puede decirse que una acción movida por una fuerte pasión es una acción "racional"?

La respuesta sería obviamente negativa en la medida que la noción de "acción racional" esté ligada a una noción dualista de la persona, noción que es preponderante en nuestra cultura. Muchas veces se contrapone lo racional a lo pasional, y, en cierta medida, ello no es del todo incorrecto, en la medida que el término "racional" sea *restringido* a lo eminentemente *deductivo*. Volvemos a decir que ello no es siempre incorrecto. Es obvio que se puede distinguir aquella persona que piensa más antes de actuar, que no se precipita, que realiza un acto de ponderación prudente de las consecuencias de la conducta -lo cual puede ser, por otra parte, absolutamente compatible con la santidad- de aquella que actúa de modo atolondrado, guiado, fundamentalmente, por sus pasiones sin ninguna guía de su prudencia en cuanto a las consecuencias de su acción. Y es absolutamente comprensible que, en un determinado sentido, se diga que la primera persona es más "racional" que la segunda.

Empero, creemos haber partido en nuestro análisis praxeológico, fundado en Tomás, de una noción más unitaria de la persona, donde lo pasional está integrado a un acto libre y por ende racional. Si no lo enfatizamos en su momento, hagámoslo ahora. Ante todo, las pasiones, como movimientos del apetito hacia el bien, se manifiestan, en su dinamismo hacia su objeto, a través de la libertad, el libre albedrío, que es propiedad necesaria del apetito racional, propio de la conducta racional. A su vez, las potencias humanas, superiores (inteligencia y voluntad) y sensibles, están todas integradas a través del principio organizativo último y principal del hombre, que es su forma sustancial, la cual unifica en sólo una sustancia corpóreo-espiritual al ser humano.

Por lo tanto, es un falso planteo antropológico suponer que en el hombre hay un principio intelectual, racional, absolutamente autónomo e independiente de otro aspecto más pulsional, relacionado con sus pasiones y en última instancia con elementos corpóreos. La dicotomía alma-cuerpo como dos cosas separadas no existe en la antropología filosófica de Tomás de la cual nosotros partimos. En primer lugar, pasiones como el amor, odio, alegría, tristeza, esperanza, etc., pueden ser buenas moralmente en la medida que estén dirigidas hacia un bien moral. Y, justamente, esa dirección es ejercida por la inteligencia y la voluntad libre en la medida que éstas hayan realizado un buen ejercicio de hábitos buenos, esto es, virtudes. En segundo lugar, e independientemente de la cuestión moral, en la acción humana libre las pasiones están siempre presentes, por cuanto la acción humana siempre se dirige al bien, alrededor del cual se especifican las pasiones. Y todo el despliegue de las potencias humanas a través de las cuales las pasiones circulan surge ontológicamente de la forma sustancial racional del ser humano, que no es la inteligencia -tal es una de sus potencias- sino el principio determinante de la esencia humana, espiritual-corpórea a la vez[88].

Por lo tanto, dado que, mientras haya libre albedrío, como hemos demostrado[89], hay racionalidad, y dado que las pasiones son perfectamente compatibles con un acto libre, entonces no hay contraposición entre racionalidad y pasiones. La racionalidad humana integra lo pasional. Por supuesto, en la medida que siga predominando una visión de lo racional como "cálculo" será difícil de entender nuestra posición, pero ya hemos dicho que la acción racional humana es pura y simplemente toda acción humana libre, con todo lo que "humana" implica: error, incertidumbre, bien o mal moral, aprendizaje, pasiones, etc. Alguno de esos factores puede funcionar como condicionamientos pero de ningún modo como incompatibles con el libre albedrío.

Las pasiones, en ese sentido, pueden condicionar, pero de ningún modo anular, el acto libre[90]. Sobre todo, porque parte del acto libre es colocarse voluntariamente en situaciones que aumentan o disminuyen la fuerza de la pasión.

Un acto racional y libre puede por ende ser perfectamente realizado de modo muy rápido, en la medida que intervenga un hábito ya adquirido y una pasión. Ahora bien, nuestro planteo no niega que, en la medida que una determinada acción del hombre sea realizada sin libertad, merced a un incontenible impulso pasional, ligado casi siempre a determinadas psicopatologías, entonces es obvio que, in abstracto, dicha conducta será no-racional. Pero decimos "in abstracto" porque el ser humano nunca puede saber -sólo Dios puede- si una determinada acción fue no libre; es muy difícil que así lo fuere absolutamente; lo habitual es que nos enfrentamos con diver-

---

[88] Ver Fabro, C.: *Percepción y pensamiento*, Eunsa, Pamplona, 1978, Parte I, cap. IV, punto 3.

[89] Ver nuestra tesis "Fundamentos...", op. cit., parte I, punto 5.

[90] El tema de los condicionamientos lo hemos tratado con más extensión en nuestro art. "El libre albedrío y sus implicancias lógicas", op. cit.

sos grados de desarrollo del ejercicio de la libertad interior. En principio siempre hay que suponer que el libre albedrío está presente en todo ser humano por el sólo hecho de ser tal, y si alguna psicopatología y/o pasión "incontenible" privan al hombre de lo más preciado de su interioridad -su libre albedrío-, tal cosa será siempre para el ser humano una hipótesis, y sólo una certeza para Dios.

En relación con el punto anterior, alguien puede preguntar en qué medida una acción motivada por el amor es libre. Justamente, en la medida que nos refiramos al amor de benevolencia, este es *eminentemente libre*, pues si un acto de entrega, buscando el bien del otro, no es libre, entonces no hay entrega. El amor de benevolencia es libre o no es amor. Obviamente, en nuestra cultura la palabra "amor" está ligada más bien a un aspecto más espontáneo del dinamismo interno de los sentimientos de la persona, espontaneidad que busca a la otra persona "para mi", antes que el bien para la otra persona. Ese aspecto del amor, en sí mismo neutro moralmente y que puede ser perfectamente complementado con el amor de benevolencia en el matrimonio, también está en relación con un libre albedrío que guía las acciones por dicho aspecto motivadas. *Pero quede claro que el amor de benevolencia es uno de los momentos más intensos del ejercicio de la propia libertad interna.*

El tercer tema que nos ha quedado pendiente es el de la acción comunicativa y la racionalidad. En esta cuestión debemos reiterar, especialmente, *que de ningún modo trataremos in extenso la cuestión, dado que ello implicaría un estudio detenido de los trabajos de Habermas, estudio que supera a los límites de este trabajo.* Empero, daremos algunos lineamientos muy generales.

Ante todo, diremos que tanto una acción que produce e intercambia bienes y servicios como aquella que establece una ralación intersubjetiva de comunicación son ambas racionales y teleológicas, dando a este último término un sentido acorde con la filosofía de Santo Tomás: la causa final del agente racional.

En segundo lugar, el primer tipo de acción puede ser perfectamente buena, por tres motivos. El primero es que el análisis marxista de la producción comercial e industrial -que no es el mismo que el de Habermas-, tomado como análisis sociológico, es falso, debido a que está viciado por la teoría de la plus valía, falsa en nuestra opinión[91]. El segundo motivo es que todo intercambio libre de bienes y servicios, significando allí "libre" al libre albedrío, puede ser, como toda acción libre, buena o mala moralmente -lo cual es distinto de su legalidad positiva- según el objeto, fin y circunstancias de la acción[92]. Y el tercer motivo es que, desde el punto de vista de la justicia -única virtud cuyo objeto es independiente de las intenciones finales del sujeto actuante- el intercambio de bienes y servicios, al ser libre, significando allí "libre" a la ausencia de coacción, es justo, pues esa libertad es condición necesaria - aunque no suficiente- para la justicia, sobre todo si se trata de la conmutativa.

El segundo tipo de acción -la comunicación intersubjetiva- es racional y teleológica en cuanto que es libre; ya nos hemos expedido suficientemente en cuanto a las relaciones necesarias entre finalidad, libertad y racionalidad. Ahora bien, la comunicación intersubjetiva, en cuanto implica diálogo, es siempre buena moralmente, en cuanto que en ese caso "comunicación" implica la donación de nuestra propia existencia a la otra persona y el respeto por su existencia; cualquier instrumentalización egoísta de la otra persona implicaría manipulación y no comunicación. Esa comunicación dialogante, esa empatía mutua, implica amor de benevolencia, respeto, aun-

---

[91] Ver al respecto E. von Bohm-Bawerk, La teoría de la explotación, Unión Editorial, Madrid, 1976.

[92] Ver al respecto Moral, de R. Simon; Herder, Barcelona, 1978; cap. IV; esta tesis tradicional, con fuente en Santo Tomás, fue reiterada por Juan Pablo II en su enc. Veritatis Splendor, cap. II, punto IV.

que no necesariamente haya acuerdo teórico entre las personas que dialogan. Y, dado los puntos anteriores, ninguna de
estas características de la acción comunicativa la privan de su
intrínseca racionalidad.

En otra oportunidad, aunque de modo menos sistemático,
nosotros mismos hemos contrapuesto una "mirada comunican-
te" a una "mirada alienante"[93]. Pero *ambas* acciones son plenamente racionales en nuestros términos. Debemos aclarar
esto por cuando es habitual una innecesaria contradicción
entre las relaciones comerciales y las relaciones intersubjeti-
vas. Todas nuestras aclaraciones apuntan hacia un paradigma
distinto, sin borrar sus diferencias. Es verdad que un intercambio comercial puede ser malo y/o injusto; es verdad que
no es unívocamente el mismo tipo de acción que una comunicación intersubjetiva; es verdad que una persona puede co-
municarse con la otra o instrumentalizarla. Pero a la vez es
verdad que una acción comercial puede ser perfectamente
buena; y es verdad que una acción comunicativa es plenamente racional y teleológica.

Vamos a aclarar por último la cuarta cuestión, cuyo tratamiento correrá por carriles similares. Es el tema de racionalidad y cultura. Nuestra cultura occidental, sobre todo la do-
minada por un paradigma iluminista, está muy acostumbrada a
tratar como "no-racionales" a civilizaciones *llamadas* primiti-
vas. No entraremos en elucubraciones sociológicas y/o históricas sobre esta cuestión; sólo diremos que, desde un punto de
vista de antropología filosófica, todas las conductas grupales e
individuales de los miembros de dichas culturas son tan racionales como las nuestras, por el sólo hecho de corresponder al
esquema medios-fin-libre albedrío. Ya hemos dicho reiteradas
veces que la racionalidad en sentido amplio no es incompati-

---

[93] En nuestro libro <u>Filosofía para los amantes del cine</u> (inédito, hay copia en
la biblioteca de la Universidad Austral), cap. 4.

ble con el error, la ignorancia y el mal moral. Creemos que es cansar al lector insistir en esta cuestión.

Pero hay algo en lo cual no hemos insistido y que no estará de más aclararlo, si bien lo hemos hecho en otra oportunidad[93b]. Hemos dicho que la racionalidad en sentido amplio de la que estamos hablando se relaciona con el orden espontáneo del mercado, y que ese orden espontáneo presupone un orden legal que hemos llamado presupuestos institucionales. Ese orden legal debe ser adecuado a una naturaleza humana mixta, con tendencias positivas y negativas moralmente. No debe suponer que todos los seres humanos son absolutamente buenos, pues esa suposición implicaría exigencias de difícil cumplimiento general, y/o hace contradictoria la exigencia de un orden legal-positivo en sí mismo. Ni tampoco debe suponer que todos son absolutamente perversos, pues en ese caso ni la más mínima exigencia legal puede mantenerse y sería verdaderamente imposible una convivencia pacífica. El tratamiento de Santo Tomás sobre la ley humana (I-II, Q. 96) resulta claro al respecto.

Por lo tanto, es cierto que pueden existir condicionamientos culturales que condicionen en sentido negativo al libre albedrío humano para el cumplimiento del orden legal-positivo, pero ello puede suceder muchas veces porque el mismo orden legal-positivo está mal planteado de raíz. Otras veces puede deberse a otros factores, que escapen a lo que nuestro programa de investigación puede prever, dado precisamente que los presupuestos no-praxeológicos son hipótesis auxiliares y no accidentes propios de la racionalidad en sentido amplio.

Como conclusión general, la racionalidad en sentido amplio tiene un universo de discurso universal en el sentido de que abarca a toda conducta humana libre. Comprendemos que los términos utilizados por el análisis praxeológico han sido habitualmente restringidos, en nuestra cultura, a universos del

---

[93b] En El humanismo del futuro, op. cit., esp. cap. 3.

discurso más restringidos. Estamos abiertos a sugerencias terminológicas que superen este problema.

3. El ámbito conjetural de las ciencias sociales

En las ciencias sociales en general, el ámbito conjetural está dado fundamentalmente por la comprensión como fuente de hipótesis generales. Nos habíamos referido a esta cuestión al explicar la posición de K. Popper al respecto (cap. 1, punto 1). Eso era así dada la estructura formal básica de dichas hipótesis generales: dado un conjunto de circunstancias X, el comportamiento humano tenderá a ser X1. La relación entre el conjunto de circunstancias y el comportamiento no es necesaria, tanto por razones metodológicas como por razones ontológicas. La razón metodológica es que la relación así concebida es conjetural. La razón ontológica es el libre albedrío, como tesis tomada prestada de la antropología filosófica.

Esto último implica que la contingencia típica del método de conjeturas y refutaciones presente en ciencias sociales la siguiente peculiaridad: mientras que en las ciencias naturales *se podría* hablar de una contingencia *de re por el lado del objeto* (en la medida que, por razones metafísicas, se acepte *cierto* indeterminismo en el mundo físico)[94], en las ciencias sociales *tenemos certeza* de que tenemos una contingencia que realmente proviene de su objeto de estudio (las interacciones humanas), pero esa contingencia está causada en este caso por *una perfección* del objeto (el libre albedrío del ser humano)[95], mientras que la eventual contingencia de re (real) del mundo físico proviene de una *privación* del mismo (la posibilidad de falla de la causalidad física).

---

[94] Hemos desarrollado este tema en nuestro libro <u>Popper: búsqueda con esperanza</u> (op. cit.), parte II, cap. 5.
[95] Ver Santo Tomás, <u>Suma Contra Gentiles</u>, libro III, cap. 73.

Pero hay otro motivo por el cual las ciencias sociales presentan una contingencia no sólo metodológica -en el ámbito conjetural- sino también ontológico: en cuanto que se podría decir también -como ya hemos visto- que su objeto de estudio, en cuanto a procesos, puede ser caracterizado como diversos tipos de órdenes espontáneos en el ámbito social. Y ya hemos visto que esos órdenes espontáneos presentan un resultado final que no necesariamente se alcanza. Ese "no necesariamente" no alude a una cuestión metodológica, sino a algo presente intrínsecamente en la acción humana: nuevamente, su libre albedrío, a parte de la limitación del conocimiento, no del investigador social -que también la padece- sino por parte de cada persona que interactúa. Esta limitación del conocimiento ya no es una perfección en sí misma, si bien la mayor parte de las veces deriva de que ningún humano puede prever con certeza el curso de acción futura de una acción *libre*.

En la economía política en particular, hemos visto que el nivel de conjeturalidad de su programa de investigación *deriva del conjunto de sub-hipótesis auxiliares (de nivel universal) que NO son deducibles del sub-núcleo central praxeológico* (ver cap. 3ro., punto 1). Ellas eran: las antropológicas, sociológicas e institucionales. No volveremos a describirlas. Pero destacaremos ahora con más detalle qué tipo particular de conjeturalidad presentan.

En el caso de las antropológicas -la *alertness* y la maximización monetaria- su contingencia onotológica es tanto por el lado esencial como existencial. Esto es, no sólo no hay necesidad ontológica de la existencia de un determinado grado de ambos factores, sino que tampoco son propiedades necesarias -accidentes propios- de la conducta humana una vez que existe al menos un ser humano; excepto que se sostenga que un grado mínimo de "*alertness*" es condición necesaria para la subsistencia del sujeto actuante[96].

En el caso de las sub-hipótesis auxiliares "sociológicas" aumenta su necesidad ontológica, en cuanto que es posible realizar una *descripción fenomenológica* y por ende de atributos esenciales de lo que es la cooperación social en sí misma y cuáles son sus implicaciones necesarias. Desde luego, la presencia de la cooperación social sigue siendo contingente desde un punto de vista existencial.

En el caso de las sub-hipótesis de tipo jurídico, se puede decir que en la medida que sean las necesarias para el funcionamiento del mercado, son contingentes a partir de la noción misma de cooperación social; esto es, puede haber cooperación social en ausencia de mercado y, por ende, de las condiciones jurídicas para el mismo. De todos modos, y como en el caso anterior, puede efectuarse un análisis fenomenológico de las esencias jurídicas que describen. Empero, en cuanto a programas de investigación que expliquen mediante un orden espontáneo el origen de instituciones jurídicas favorables al mercado, esa descripción será afectada por la contingencia ontológica y metodológica descripta en el punto anterior.

Como ya hemos dicho, el hecho de que ninguna de estas sub-hipótesis auxiliares se desprenda del sub-núcleo central praxeológico es lo que constituye a la economía política en un programa de investigación que describe un orden espontáneo denominado mercado. Por ello, como dijimos en otra oportunidad, "la ciencia -como dice Mises- no es mera gimnasia mental; aspira a buscar la verdad, lo cual implica buscar una descripción del mundo que se acerque a éste tal cual es. *Y para ello debemos saber si las condiciones no-praxeológicas están efectivamente presentes o no. Y,* como hemos dicho, no hay modo de saberlo, sino con el testeo empírico indirecto tal cual

---

[96] Ver al respecto nuestra tesis "Fundamentos...", op. cit., parte III, punto 3, c).

lo hemos explicado"[97]. Todo lo cual de ningún modo obsta a la presencia de los factores no-conjeturales -fenomenología y praxeología- que son necesarios en la elaboración *a priori* (*a priori del testeo*) del programa de investigación.

---

[97] Ver nuestro art. "Machlup: un puente entre Mises y Lakatos", op. cit., p. 181.

Capítulo Quinto: El Problema de la Base Empírica

1. Planteo general del problema

Nos introducimos ahora en uno de los problemas metodológicos más delicados, sobre el cual no intentaremos dar, desde luego, una respuesta definitiva, pero sí al menos adecuada a su importancia. En el capítulo tercero habíamos adelantado esta cuestión.

Ya hemos fundamentado, por otra parte, nuestra posición con respecto al testeo empírico. No es tan relevante como el actual paradigma dominante lo plantea en ciencias sociales, pero sí tiene una relevancia mínima -y ya hemos dado las razones- para que nuestro programa de investigación no sea una mera gimnasia mental irrealista. En función de ello es que debemos plantear el problema de la base empírica.

La base empírica, tanto en ciencias naturales como en sociales, tiene dos aspectos, como ya hemos dicho. El primero está constituido por las condiciones iniciales necesarias para inferir efectos o predicciones positivas. El segundo está constituido por el conjunto de falsadores potenciales necesarios para realizar el testeo del programa de investigación. Ambos tipos de juicios son singulares. Cuáles son y de qué modo entran en nuestro programa, ya ha sido explicado suficientemente en los tres primeros capítulos (sobre todo en el tercero). Ahora debemos concentrarnos aún más en el problema también ya explicado: *dichos juicios singulares son interpretados en función de una conjetura general.*

Esto plantea un aspecto hermenéutico en ciencias naturales, y en ciencias sociales en particular, cuyo desconocimiento conduce inevitablemente a un realismo ingenuo. Habermas, al describir el debate sobre la comprensión, plantea esta cuestión de este modo: "La siguiente fase de la discusión viene introducida por el giro postempirista de la teoría analítica de la ciencia. Mary Hesse hace hincapié en que a la habitual oposición entre ciencias naturales y ciencias sociales le subyace un concepto de ciencias de la naturaleza, y en general de ciencia empírico-analítica, que mientras tanto habría quedado superado. El debate suscitado por Kuhn, Popper, Lakatos y Feyerabend acerca de la historia de la física moderna habría demostrado que: 1) los datos con que hay que contrastar la teoría no pueden ser descriptos con independencia del lenguaje teórico de cada caso, y 2) que las teorías no se eligen normativamente según los principios del falsacionismo, sino en la perspectiva de paradigmas que, como se ve cuando se intenta precisar las relaciones históricas, se comportan entre sí de forma parecida a como lo hacen las formas particulares de vida: `Doy por suficientemente demostrado que los datos no son separables de la teoría y que su formulación está impregnada de categorías teóricas; que el lenguaje de la ciencia teórica es irreductiblemente metafórico e informalizable, y que la lógica de las ciencias es interpretación circular, reinterpretación y autocorrección de datos en términos de teoría y en términos de datos'. Mary Hasse concluye de ahí que la formación de teorías en ciencias de la naturaleza depende no menos que en las ciencias sociales de interpretaciones que pueden analizarse según el modelo hermenéutico de la comprensión"[98]. A pesar de que no coincidimos con la relevancia atribuída a Kuhn para esta cuestión, no se puede negar que la cita describe con crudeza la situación. El problema es: una vez lograda la conciencia del problema, ¿cómo no derivar en un cierto idealismo?

El "círculo metodológico" que aquí se plantea tiene en nuestra opinión una solución realista. Decimos "metodológico" porque hablar directamente aquí de círculo hermenéutico excede los fines de este trabajo[99], y decimos "solución", y no

---

[98] Ver Habermas, J.: Teoría de la acción comunicativa; Taurus, 1992, libro I, I, 3, a), pág. 156.

[99] Ver al respecto Stasi, Elizabeth: Posibilidad gnoseológica de una hermenéutica realista; tesis de licenciatura presentada a la UNSTA en diciembre

"salida", porque del círculo propiamente no se "sale", sino que se adquiere conciencia de él[100], no contradictoria con una perspectiva realista como la que vamos a defender[101].

No estaría de más recordar una vez más la estructura del círculo metodológico: la conjetura general necesita de condiciones iniciales singulares para deducir consecuencias singulares testeables; éstas, a su vez, son seleccionadas en cuanto a su relevancia según la conjetura general; y, por último, los falsadores potenciales utilizados contienen hipótesis generales en sus estructura sintáctica.

En nuestra opinión hay unas cinco perspectivas que pueden brindar una perspectiva realista al círculo.

a) Hemos planteado ya lo que significa una fenomenología de los objetos de las ciencias sociales (ver cap. 4). Ello implica la siguiente conclusión: en la medida que ciertos juicios singulares en ciencias sociales contengan conceptos universales que refieren a esencias analizadas fenomenológicamente -y hemos visto que esas esencias tienen su existencia en una interacción social singular-, entonces los universales allí contenidos no son conjeturas, sino que refieren a esencias cuyo grado de certeza es mayor. Aplicado esto a economía política, si decimos "esta tasa de interés bajó", la definición fenomenológica del concepto universal "tasa de interés" no es una conjetura. Luego no es verdad que necesariamente toda conjetura general en ciencias sociales debe ser testeada por juicios singulares que a su vez tienen conjeturas. Luego, existen juicios singulares en ciencias sociales de los cuales podemos tener certeza (la mis-

---

de 1993; inédita. (Hay copia en la Biblioteca de la Universidad Austral en Buenos Aires).

[100] Ver Gadamer, H.G.: Verdad y Método, I, Sígueme, Salamanca, 1991, II, II, 1.

[101] Hemos tratado ya esta cuestión en nuestra ponencia Lo general y lo particular en ciencias sociales, inédita, del día 13/5/93, documento de trabajo presentado a la Facultad de Ciencias de la Información de la Universidad Austral, Buenos Aires (Hay copia en la biblioteca de la Univ. Austral).

ma consideración no está excluida para ciencias naturales, si bien en ese caso la cuestión es más complicada).

b) Es absolutamente verdadero, metodológicamente, que las condiciones iniciales son seleccionadas en función de la conjetura general. Pero ello no obsta a que las condiciones iniciales seleccionadas sean verdaderas en sí mismas, más si sus juicios contienen conceptos universales fenomenológicamente descriptos, como hemos dicho. Que no podamos conocer "todas" las realidades singulares expresadas a través de juicios singulares no es más que un obvio resultado de nuestra limitación del conocimiento. Para decirlo con una analogía, si la realidad toda es un cuadrado "a", lo "seleccionado" -a través del criterio de relevancia que fuere- será un círculo "b"; la diferencia entre (a - b) será el conjunto de lo potencialmente infinito desconocido por el hombre.

c) En tercer lugar, debemos recordar algo que es importante para todas las ciencias sociales y especialmente importante para la economía en particular. Hemos destacado que el análisis praxeológico es un análisis de la esencia de toda acción racional que, como tal, no es una conjetura. Luego las consecuencias directamente deducidas a partir de tal supuesto no son tampoco conjeturales y son por ende independientes del MHD donde existe el problema del testeo. Por supuesto, hemos visto que no todas las consecuencias del programa de investigación de la economía política pueden ser directamente deducidas a partir de tal supuesto, pero de todos modos el análisis praxeológico brinda a la economía una serie de supuestos que, tanto generales como singulares, tienen un grado de certeza del que carece otro tipo de conjetura, como podría

ser el supuesto de racionalidad en sentido restringido que utilizan los modelos neoclásicos[102].

d) Aún en todos los casos donde el testeo empírico sea necesario, debemos recordar una vez más el sentido estrictamente
débil que dicha noción debe tener en una epistemología post-
popperiana y, sobre todo, lakatosiana, como nosotros a grandes rasgos hemos adoptado, si bien con nuestras connotacio-
nes filosóficas de tipo realista-fenomenológica. Un falsador
potencial contradictorio con nuestro programa de investigación nos dice simplemente "aquí-hay-un-problema", y para que
nos diga eso no necesitamos una certeza total del falsador
potencial en cuestión. Si mi programa de investigación dice
que en situación de sistema monetario no interferido por el
estado no puede haber crisis cíclicas y me enfrento con una
situación en la cual, *con todas las limitaciones de mi conocimiento*, he revisado las condiciones iniciales y en principio son
efectivamente de libre mercado, y concomitantemente <u>parece</u>
haber condiciones similares a las de EEUU 1929-30, entonces
puedo decir "aquí hay un problema"; pero el "aquí" implica
también <u>en la</u> <u>realidad</u>, no sólo en "mi sistema" (tal la diferencia entre un modo de proceder realista y otro idealista). La
falsación, por más débil que sea, nos está indicando nada más,
pero nada menos, que un factor desconocido, que no sabemos
cuál es y sobre el cual debemos conjeturar, está entrando en
juego. *La falsación es en ese sentido el "contacto" con lo real;
es la advertencia de que algo más allá de mi solo sistema está
jugando un papel importante.* Por supuesto, tengo, metodológicamente, todo el derecho a seguir trabajando en mi programa de investigación a pesar de continuas y repetidas anomalías. *Pero lo que en ese caso me distinguirá de un ideólogo barato será mi conciencia del "riesgo" de que mi programa de*

---

[102] Ver al respecto Popper, K.: "The Rationality Principle", en <u>Popper Selec-
tions</u>, Edited by David Miller; Princeton University Press, New Jersey, 1985.

investigación sea verdaderamente regresivo. Y esta es una cuestión de honestidad intelectual, de prudencia, de ética de la ciencia, que va más allá de lo que cualquier estricta metodología puede decirnos.

(Cabe aclarar, para evitar confusiones en este punto, que este testeo empírico amplio de tipo lakatosiano al que nos referimos es acerca de las proposiciones del programa, las cuales tienen, sin embargo, por todo lo que acabamos de explicar, un cierto grado de definiciones no conjeturales de conceptos fenomenológicamente elaborados que son "causa material" de las proposiciones).

e) Este último punto no será más que explicar sistemáticamente la reflexión anterior sobre la "prudencia". Lakatos ha dicho -como vimos- que el "momento" de abandonar o seguir con un programa de investigación regresivo no puede determinarse y que es cuestión de tener conciencia de ese riesgo. A esto debemos agregar que Gadamer destaca el papel insustituible de la prudencia aristotélica en las ciencias humanas[103], que para nosotros es extensivo a todas las ciencias. Y esto es precisamente lo que nosotros queremos decir. En la esencia misma del contexto de justificación de toda ciencia, y de las ciencias sociales en especial, hay un insustituible acto de prudencia que nos dice si seguir o no con nuestro programa[104]. Y la prudencia es una virtud humana, que nos dice cómo aplicar lo general a lo particular, cuya decisión no está inferida por ninguna norma lógica-metodológica. Pero no es arbitraria, porque *el deber ser es un analogado del ser: el deber ser se basa en el ser*[105]. ¿Y de qué ser estamos hablando en este caso? Pues en la naturaleza humana. Luego, siempre que en ciencias sociales haya un verdadero acto de prudencia que nos diga hasta

---

[103] Ver op. cit., II, II, 10, 2, pág. 383.
[104] Ver nuestro trabajo citado en nota 101.
[105] Ver Maritain, J.: Lecciones fundamentales de la filosofía moral; Club de Lectores, Buenos Aires, 1966.

dónde llega el valor de verdad del testeo, esa prudencia emergerá de una "sabiduría no metodológica" de esa naturaleza humana en cuestión.

Se engañan quienes creen en una ciencia "exacta" desprovista de este insustituible acto de prudencia. No es ninguna certeza metodológica la que le dice al investigador bioquímico que puede lanzar al mercado una droga después de haber sido testeada en animales y humanos durante diez años, pues aunque él no lo sepa o no quiera saberlo, Popper le ha demostrado de sobra que la corroboración en el MHD -dejando de lado otros supuestos de tipo metafísico- no implica conocimiento sobre el comportamiento futuro de la conjetura. Es sobre todo su prudencia la que le dice que "es prudente" lanzar entonces dicho producto al mercado.

Por supuesto, todas estas reflexiones no agotan de ningún modo la cuestión, pero al menos le dan un encuadre que puede explicar razonablemente una perspectiva realista del círculo metodológico.

2. Aplicaciones a nuestro programa de investigación

Así planteadas las cosas, creemos que un programa de investigación cuyo núcleo central sea la escuela austriaca de economía debe plantear con claridad, *especialmente para los paradigmas competitivos*, cuáles son el conjunto de juicios falsadores potenciales especialmente relevantes para realizar el testeo. Ya hemos visto y explicado que la noción de Machlup de testeo-empírico-indirecto-global (teig) y la noción hayekiana de *pattern predictions* brindan suficientes elementos metodológicos para ello. Este es un trabajo que debe ser realizado concomitantemente con esa reelaboración metodológica contemporánea de los elementos de la escuela austriaca de la que ya hablábamos en la introducción. No nos corresponde, por ende, a nosotros, pero como norma general, hemos visto que *toda situación singular predicha en condiciones* de intervencionismo estatal se convierte para la escuela austríaca en un falsador potencial en caso de que las condiciones iniciales sean de libre mercado.

Creemos que este trabajo es una tarea indispensable de honestidad intelectual que facilitará el diálogo entre la escuela austriaca y otras escuelas de economía. Empero, debemos dar un paso más.

Supongamos por ejemplo el tema de la inflación en la escuela austriaca y en la escuela de Chicago. Para la primera, la inflación es un descenso en el poder adquisitivo del dinero por razones ajenas al mercado; para la segunda, es sencillamente un sostenido y continuo incremento en el nivel general de precios. Para la escuela austriaca, por ende, puede haber inflación aunque no haya un aumento "medible" de precios, porque si el estado aumenta la oferta de medios fiduciarios pero ese aumento de oferta es más o menos compensado por un aumento concomitante de importación de bienes y servicios, lo que habitualmente se llama "nivel general de precios" seguirá más o menos estable; empero, para la escuela austriaca hubo inflación porque el poder adquisitivo de la moneda bajó como resultado del aumento de oferta monetaria por parte del estado y los precios son en realidad más altos de lo que hubieran sido sin esa intervención estatal. Pero, para la escuela de Chicago, no hubo inflación sencillamente porque el índice general de precios no aumentó. Luego, el aparentemente sencillo juicio singular "hubo inflación" se convierte en algo irrelevante a la hora de que las *dos* escuelas confronten sus conjeturas mediante un testeo empírico.

Cuando estamos en presencia de estos casos, la solución convencionalista popperiana parece seguir siendo la más adecuada. Si diversas escuelas de pensamiento quieren dialogar entre sí, y no encerrarse en sus propias cavilaciones, lo cual implica también algún modo conjunto de "testear" sus conjeturas, entonces deben "convenir" en una serie de falsadores potenciales, convención que, por su carácter práctico, prudencial, y no teórico, puede dejar "entre paréntesis" a los debates filosóficos y metodológicos que las separan.

La solución convencionalista popperiana para el problema de la base empírica ha "enojado" a muchos porque la han malinterpretado como una solución *teórica* al problema. Pero no es así. El ya tenía una solución teórica a dicho problema, de tipo neokantiana, con la cual nosotros, como se ha visto, no coincidimos. La solución práctica consiste, en cambio, en "convenir" como *decisión* en una serie de juicios singulares que, conjuntamente aceptados, permitan efectuar el testeo.

Cuando las diferencias filosóficas son insalvables, esta solución convencionalista no es lo ideal pero, como en todos los órdenes de la vida humana, la tolerancia *debida* de lo imperfecto tiene la perfección de lo debido.